D1074820

DU MÊME AUTEUR

Aux Éditions Gallimard

LE GRAND VOYAGE, roman.

LA GUERRE EST FINIE, scénario.

L'ÉVANOUISSEMENT, roman.

LA DEUXIÈME MORT DE RAMON MERCADER, roman.

LE « STAVISKY » D'ALAIN RESNAIS, scénario.

LA MONTAGNE BLANCHE, roman.

L'ÉCRITURE OU LA VIE.

ADIEU, VIVE CLARTÉ...

Chez d'autres éditeurs

AUTOBIOGRAPHIE DE FEDERICO SANCHEZ, traduit de l'espagnol par Claude et Carmen Durand, Éditions du Seuil.

QUEL BEAU DIMANCHE !, Grasset.

L'ALGARABIE, roman, Fayard ; Folio, Gallimard.

NETCHAIEV EST DE RETOUR, roman, J.-C. Lattès.

FEDERICO SANCHEZ VOUS SALUE BIEN, Grasset.

MAL ET MODERNITÉ, Éditions Climats.

LE MORT QU'IL FAUT

JORGE SEMPRUN
de l'Académie Goncourt

LE MORT QU'IL FAUT

GALLIMARD

*Il a été tiré de l'édition originale de cet ouvrage
quarante exemplaires sur vélin pur fil des papeteries Malmenayde
numérotés de* 1 *à* 40.

À Fanny B., Léonore D., Cécilia L.,
Jeunes lectrices exigeantes et gaies.

Je suis sûr que ma mort me
rappellera quelque chose.

Roland Dubillard

PREMIÈRE PARTIE

— On a le mort qu'il faut ! crie Kaminsky.

Il arrive à grandes enjambées, n'attend pas de m'avoir rejoint pour claironner la bonne nouvelle.

Un dimanche de décembre : soleil d'hiver.

Les arbres, alentour, étaient couverts de givre. De la neige partout, apparemment depuis toujours. Elle avait, en tout cas, le reflet bleuté de l'éternel. Mais le vent était tombé. Ses habituelles rafales sur la colline de l'Ettersberg, rudes, rêches, glaciales, ne parvenaient plus jusqu'au repli du terrain où se dressait le bâtiment des latrines du Petit Camp.

Fugitivement, au soleil, dans l'absence du vent mortifère, on aurait pu oublier, penser à autre chose. C'est ce que je m'étais dit, en arrivant au lieu du rendez-vous, devant la baraque des latrines collectives. On aurait pu se dire que l'appel venait de se terminer, qu'on avait devant soi, comme chaque dimanche, quelques heures de vie : une fraction appréciable de temps qui n'appartiendrait pas aux SS.

On aurait pu fermer les yeux, au soleil, imaginer de quoi on allait remplir ce temps disponible, miracle hebdomadaire.

Le choix n'était pas vaste, il y avait des limites précises — on s'en doute. Mais il y en a toujours, partout, probablement ; pour le commun des mortels, en tout cas. Même restreint, un choix était possible, néanmoins : exceptionnel, exclusif des après-midi du dimanche, mais réel.

On pouvait choisir d'aller dormir, par exemple.

D'ailleurs, la plupart des déportés couraient vers les dortoirs, sitôt l'appel du dimanche terminé. S'oublier, se perdre, rêver peut-être. Ils s'abattaient d'un seul tenant sur la paillasse des châlits, sombraient aussitôt. Après l'appel, après la soupe du dimanche — aux nouilles, toujours ; la plus épaisse de la semaine ; bienvenue, toujours —, le besoin de néant réparateur semblait prévaloir.

On pouvait aussi prendre sur soi, sur le retard de sommeil, sur la fatigue de vivre, pour aller retrouver des copains. Recréer une communauté, parfois une communion, quand celle-là n'était pas seulement de village natal, ou de maquis, de mouvement de résistance ; quand elle était, de surcroît, politique, ou religieuse, aspirant à un dépassement, donc à une transcendance, vous y aspirant.

Prendre sur soi pour sortir de soi, somme toute.

Échanger des signes, quelques mots, des nouvelles du monde, des gestes fraternels, un sourire, un mégot de *machorka,* des morceaux de poèmes. Bribes, désormais, brindilles, brins épars, car la mémoire s'effritait, s'amenuisait. Les plus longs poèmes connus par cœur, du fond du cœur, *Le bateau ivre, Le cimetière marin, Le voyage,* se réduisaient à quelques quatrains décousus, disparates. D'autant plus bouleversants, certes, à émerger encore dans la brume du passé anéanti.

Ce dimanche-là, précisément, les nouvelles à échanger étaient plutôt rassurantes : les Américains tenaient, à Bastogne, ne cédaient pas un pouce de terrain.

Mais le soleil de décembre était trompeur.

Il ne réchauffait rien. Ni les mains, ni le visage, ni le cœur. Le froid glacial empoignait les tripes, raccourcissait le souffle. L'âme en était affectée, endolorie.

Sur ce, Kaminsky arrivait à grands pas, l'air enjoué. Il criait la bonne nouvelle, alors qu'il se trouvait encore à quelque distance.

Voilà : ils avaient le mort qu'il faut.

Immobile, maintenant, devant moi, droit dans ses bottes, massif, les mains enfoncées dans les poches latérales de son caban bleu de *Lagerschutz*. Mais son visage mobile, ses yeux vifs, reflètent l'excitation.

— *Unerhört !* s'exclame-t-il, inouï ! Il a ton âge, à quelques semaines près ! Un étudiant, par-dessus le marché !

Un mort qui me ressemble, autrement dit. Ou bien, c'est moi qui lui ressemble déjà.

La conversation avec Kaminsky, comme d'habitude, se déroule en deux langues entremêlées. Il a combattu en Espagne, dans les Brigades, et parle un espagnol encore fluide. Il aime bien insérer des mots espagnols, des locutions entières, parfois, dans nos conversations en allemand.

— *Unerhört !* s'est donc exclamé Kaminsky, *inaudito !*

Et il ajoute, sans doute pour souligner le caractère véritablement inouï de ce mort convenable :

— Parisien, comme toi.

Suis-je vraiment parisien ?

Ce n'est pas le moment d'aborder cette question : Kaminsky m'enverrait me faire foutre. Peut-être même en russe. Dans le mélange bigarré des idiomes de Buchenwald — d'où l'anglais était exclu, tant pis, Shakespeare et William Blake auraient pourtant fait l'affaire — le russe est celui qui me semble disposer de la plus riche variété d'expressions destinées à envoyer quelqu'un se faire foutre.

Il rit, Kaminsky, avec une sorte de joie brutale.

— On peut dire que t'en as, de la chance, toi !

C'est une phrase que l'on m'a souvent dite, au long de ces années. Une constatation que l'on a souvent faite. Sur tous les tons, y compris celui de l'animosité. Ou de la méfiance, du soupçon. Je devrais me sentir coupable d'avoir eu de la chance, celle de survivre, en particulier. Mais je ne suis pas doué pour ce sentiment-là, si rentable pourtant, littérairement.

Il semble, en effet, et cela n'a pas cessé de me surprendre, qu'il faut afficher quelque honte, une conscience coupable, du moins, si l'on aspire à être un témoin présentable, digne de foi. Un survivant digne de ce nom, méritant, qu'on puisse inviter aux colloques sur la question.

Certes, le meilleur témoin, le seul vrai témoin, en réalité, d'après les spécialistes, c'est celui qui n'a pas survécu, celui qui est allé jusqu'au bout de l'expérience, et qui en est mort. Mais ni les historiens ni les sociologues ne sont encore parvenus à résoudre cette contradiction : comment inviter les vrais témoins, c'est-à-dire les morts, à leurs colloques ? Comment les faire parler ?

Voilà une question, en tout cas, que le temps qui passe réglera de lui-même : il n'y aura bientôt plus de témoins gênants, à l'encombrante mémoire.

J'avais de la chance, en tout cas, inutile de le nier.

Mais je n'en apporterai pas les preuves tout de suite, ça nous détournerait du propos principal, qui est de raconter comment ils avaient trouvé le mort qu'il faut. Et à quoi ça sert, le mort qu'il faut, pourquoi ça tombe si bien, aujourd'hui.

— Tout à l'heure, ajoutait Kaminsky, quand tu viendras au *Revier*, tu feras connaissance !

Je rejette cette idée.

— Les morts, tu sais, je connais ! J'en vois tout le temps, partout... Celui-là, le mien, je peux l'imaginer !

Vingt ans, comme moi, étudiant parisien : oui, je peux imaginer.

Kaminsky hausse les épaules. Il semble que je n'aie rien compris. Ce mort-là, le mien (moi, bientôt, puisque je vais probablement prendre son nom), il est vivant. Encore vivant, du moins. Encore pour quelques heures, sans doute. Je ferai sa connaissance, c'est sûr.

Il m'explique comment ça va se passer.

C'est la veille que ça a commencé.

Le samedi matin, donc, à une heure difficile à préciser. Soudain, il y eut des coups sourds, insistants, au fond de mon sommeil. Un rêve s'était coagulé autour de ce bruit-là : on clouait un cercueil quelque part au fond de mon sommeil, quelque part sur la gauche, au loin, dans le territoire ombreux du sommeil.

Je savais que c'était un rêve, je savais quel cercueil on clouait dans ce rêve. Je savais surtout que j'allais me réveiller, que les coups redoublés (un marteau, sur le bois du cercueil ?) allaient me réveiller d'un instant à l'autre.

Voilà : Kaminsky était à côté de moi, dans l'étroit couloir qui sépare les châlits du dortoir. Il tapait de son poing fermé sur le montant de la litière le plus proche de mon oreille. Derrière lui, je voyais le regard préoccupé de Nieto.

Même au débotté du brusque réveil, du sommeil brutalement interrompu, il était facile de comprendre qu'il se passait quelque chose d'insolite.

Kaminsky n'était pas seulement un copain, c'était aussi l'un des responsables de l'organisation militaire clandestine. Quant à Nieto, il était l'un des trois principaux dirigeants, le numéro un de la *troïka*, en fait, de l'organisation communiste espagnole.

Kaminsky et Nieto ensemble auprès de moi, ce n'était pas banal.

Je me suis redressé, aussitôt aux aguets.

— Habille-toi, m'a dit Kaminsky. Faut qu'on te parle !

Ils me parlaient, un peu plus tard.

Nous étions dans la salle d'eau du premier étage du block 40. Je venais de m'asperger le visage avec l'eau glacée de la vasque centrale. Les brumes cotonneuses du sommeil se dissipaient.

La salle d'eau était déserte, tous les déportés étant à leurs postes de travail à cette heure de la matinée. La veille, j'avais fait partie de l'équipe de nuit à l'*Arbeitsstatistik*. Il n'y avait pas eu beaucoup de travail au fichier central dont je m'occupais. C'est bien pour cela que Willi Seifert, notre kapo, avait instauré l'équipe de nuit, la *Nachtschicht*, pour qu'on puisse se reposer à tour de rôle.

J'avais expédié assez vite l'inscription des mouvements de la main-d'œuvre déportée signalés par les divers services. Ensuite, j'avais pu bavarder tranquillement avec ceux des vétérans allemands qui acceptaient cet échange — ils n'étaient pas nombreux. À portée de la main, en fait, je n'avais que Walter.

Le reste de la nuit, j'avais lu. J'avais fini le roman de Faulkner que j'avais emprunté à la bibliothèque pour cette semaine de travail nocturne.

Vers six heures du matin, après l'appel et le départ des kommandos de travail, j'étais rentré au block 40. Sebastián Manglano, mon copain madrilène, mon voisin de paillasse, était à la chaîne de montage des usines Gustloff.

J'aurais toute la largeur du châlit pour moi tout seul.

L'eau glacée de la vasque centrale avait dissipé le goût

âpre et râpeux du mauvais sommeil interrompu : on pouvait me parler.

C'est Kaminsky qui a résumé la situation.

Une note était arrivée de Berlin le matin même. Elle provenait de la Direction centrale des camps de concentration, était destinée à la *Politische Abteilung*, l'antenne de la Gestapo à Buchenwald. Et cette note me concernait, elle demandait des renseignements à mon sujet. Étais-je encore en vie ? Si oui, étais-je à Buchenwald ou bien dans un camp annexe, un kommando extérieur ?

— Nous avons deux jours devant nous, ajoutait Kaminsky. Pister était pressé, il partait en voyage. La note ne sera remise à la *Politische Abteilung* que lundi !

Hermann Pister était l'officier supérieur SS qui commandait le camp de Buchenwald. Il s'avérait qu'il n'avait pas transmis immédiatement la note de Berlin à la Gestapo du camp.

Nous avions jusqu'à lundi, répétait Kaminsky.

Nieto n'était pas plus étonné que moi par l'assurance de Kaminsky, par la précision de ses informations. Même s'il n'en disait rien, se limitant à énumérer des faits comme s'il en avait été le témoin direct — il affirmait, par exemple, que Pister avait enfermé sous clef la note de Berlin dans une armoire métallique de son bureau —, nous connaissions ses sources.

Nous connaissions, du moins dans ses grandes lignes, le fonctionnement de l'appareil de renseignement des communistes allemands de Buchenwald.

C'était sans doute un « triangle violet », un objecteur de conscience, membre de la secte des *Bibelforscher*, qui avait signalé l'arrivée de la note de Berlin.

Les *Bibelforscher*, les « chercheurs de la Bible », les témoins de Jéhovah, autrement dit, n'étaient plus bien nombreux à Buchenwald, l'hiver 1944. Internés parce qu'ils refusaient de porter les armes en vertu de leurs convictions religieuses, ils avaient souvent été soumis, dans le passé, à des brimades collectives, des représailles meurtrières. Depuis plusieurs années, pourtant, depuis que Buchenwald, en particulier, était entré dans l'orbite de l'industrie de guerre nazie, les *Bibelforscher* survivants étaient généralement affectés à des postes privilégiés de domestiques, ordonnances ou secrétaires auprès des chefs SS.

Certains d'entre eux en profitaient pour rendre des services considérables à la résistance organisée par les communistes allemands, leurs compatriotes, qui tenaient les leviers essentiels du pouvoir interne à Buchenwald.

Ainsi, quasiment toute décision importante de Berlin concernant le camp était connue de l'organisation clandestine, qui pouvait se préparer à sa mise en œuvre, en éviter ou en atténuer les effets les plus négatifs.

— Notre informateur, dit Kaminsky, n'a pu lire que le début de la note de Berlin ! Il a retenu ton nom, la demande de renseignements te concernant. Lundi, quand le document sera remis à la *Politische Abteilung*, il pourra prendre connaissance du reste. Nous saurons alors qui demande de tes nouvelles et pourquoi !

Pourquoi s'intéresse-t-on encore à moi à Berlin, en effet ? Je n'en ai pas la moindre idée, ça me paraît absurde.

— Attendons lundi, leur dis-je.

Ils ne sont pas d'accord, il n'en est pas question.

Ni Kaminsky, ni Nieto ne partagent mon point de vue.

Ils me rappellent qu'il y a eu ces dernières semaines plusieurs cas de résistants français, ou de Britanniques arrêtés en France, qui ont été ainsi recherchés par la *Politische Abteilung*, convoqués à la tour de contrôle et exécutés. Ils me parlent d'Henri Frager, mon patron de Jean-Marie

Action, qui faisait partie de ces disparus-là : repris par la Gestapo dans le camp et assassiné.

Sans doute, disais-je, mais il s'agissait chaque fois d'agents importants des services alliés de renseignement et d'action, chefs de réseau, responsables militaires de premier plan.

Moi, je ne suis qu'un sous-fifre, un sous-off, leur dis-je.

Frager, précisément, m'avait affirmé que je serais inscrit avec le grade de sous-officier dans les registres militaires des FFI. Aucune commune mesure, donc ! Aucune raison imaginable pour que la Gestapo s'intéressât encore à moi, plus d'un an après mon arrestation. Ces types m'avaient certainement oublié.

— La preuve que non ! rétorquait Kaminsky, catégorique. Ils ne t'ont pas oublié, ils s'inquiètent encore de toi !

Je ne pouvais pas le nier, mais ça n'avait pas de sens : il devait y avoir une autre explication.

Obstinés, ne voulant rien laisser au hasard, ils m'interrogeaient encore sur mes activités dans la Résistance, cherchant à comprendre l'intérêt de Berlin. Je leur parlais de nouveau de la MOI, de Jean-Marie Action, un réseau Buckmaster, des circonstances précises de mon arrestation à Joigny.

Mais ils savaient tout cela. Nieto, du moins, savait tout cela. Il m'avait déjà interrogé à ce sujet lorsqu'il m'avait recadré pour l'organisation communiste espagnole, après mon arrivée au block 62 du Petit Camp.

C'est lui qui a tranché, au bout d'un moment de discussion et d'interrogations :

— Écoute, aujourd'hui, rien à craindre. Mais lundi, il faudra qu'on soit prêts à tout, prêts à réagir immédiatement.

Son regard est toujours grave, mais devient étrangement proche, fraternel.

— Le Parti ne veut pas risquer de te perdre, ajoute-t-il. La formule était passablement solennelle, mais le sourire de Nieto corrigeait cette emphase.

Kaminsky est intervenu.

— Aujourd'hui, rien, en effet ! Tu peux continuer à dormir. Ce soir, tu te présentes à l'*Arbeitsstatistik*, comme prévu, pour l'équipe de nuit. Mais demain, dimanche, après l'appel de midi, on te prend en charge. On te fait admettre à l'infirmerie, atteint d'une maladie grave et soudaine... On verra bien laquelle. Ainsi, pour l'appel de lundi matin, tu seras régulièrement compté dans l'effectif des malades du *Revier*. Ensuite, selon les nouvelles, ou bien tu reviens dans la vie du camp, au bout de quarante-huit heures ou de quelques jours d'absence justifiée, ou bien tu disparais. Si la note de Berlin est vraiment inquiétante, il faut essayer de te faire mourir administrativement. C'est là que ça devient compliqué ! Ce n'est pas forcément facile de trouver dans les délais nécessaires un mort convenable, dont tu pourras prendre l'identité. Et les contrôles des médecins SS sont toujours possibles ! Probablement, si tout marche bien, il te faudra partir dans un kommando extérieur, pour couper les liens avec Buchenwald, où trop de gens te connaissent sous ton vrai nom.

Cette histoire m'ennuie prodigieusement.

L'idée d'avoir à quitter Buchenwald m'ennuie prodigieusement. Il faut croire qu'on s'habitue à tout. Le proverbe espagnol *Más vale malo conocido que bueno por conocer* énonce une grande vérité, résignée et pessimiste, comme toutes les vérités de la sagesse populaire... Plutôt le mal connu que le bien à connaître !

— Une vie nouvelle sous un faux nom, ailleurs, je ne vois pas l'intérêt ! lui dis-je, tristement furieux.

D'autant plus furieux que je n'arrive pas à croire à un danger réel.

— Un nom qui ne sera pas le tien, en effet, commente Kaminsky, placide. La vie, elle, sera bien à toi. Une vraie vie malgré le faux nom !

Il a raison, mais ça m'ennuie prodigieusement.

Je crois que je vais retourner au dortoir, pour me prélasser dans l'espace entier du châlit. Retourner dans mon rêve, qui sait ?

Le lendemain, dimanche, au soleil de l'hiver, trompeur, Kaminsky m'annonce qu'ils ont trouvé le mort qu'il faut.

Qui est un mourant, d'ailleurs.

Je ne sais pourquoi cette idée me trouble, me met mal à l'aise. J'aurais préféré que le jeune Parisien, étudiant de surcroît, fût déjà mort. Mais je n'en dis rien à Kaminsky. Il m'aurait rabroué, avec son esprit brutalement positif.

Un mort, un mourant : quelle différence ? Qu'est-ce que ça change ?

— Amène-toi au *Revier* à six heures, me dit-il. Je t'attendrai...

Il rit, ça l'excite visiblement de jouer ce tour-là aux SS.

Il m'offre une cigarette, sans doute pour fêter l'événement : une marque allemande de tabac oriental. C'est ce qu'ils fument habituellement, les privilégiés, les *Prominenten*, les kapos, les chefs de block, les hommes du *Lagerschutz*, la police intérieure, assurée par les déportés allemands eux-mêmes.

Willi Seifert m'offre le même genre de cigarette, quand il me convoque dans son bureau de l'*Arbeitsstatistik* pour m'entretenir en tête à tête.

L'herbe de *machorka* russe, à rouler dans du papier journal, ce n'est pas pour eux, c'est pour la plèbe de Buchenwald.

Il fait soleil, tout a été dit, je tire une bouffée de cette cigarette de privilégié.

Pour ce qui est du tabac, de la nourriture, je fais partie de la plèbe, certainement. Je fume plutôt l'herbe âcre de *machorka.* Rarement, d'ailleurs. Par-ci par-là, un mégot partagé, délicieux. Et je me nourris des rations du camp, exclusivement.

Au réveil, à quatre heures et demie du matin, avant l'appel et le rassemblement des kommandos de travail, le *Stubendienst,* le service des chambrées, premier échelon de l'administration intérieure assurée par les détenus eux-mêmes, nous distribue un gobelet d'une boisson chaude et noirâtre que l'on dénomme « café » pour aller vite et se faire comprendre de tout le monde.

On touche en même temps la ration de pain et de margarine de la journée, à laquelle s'ajoute, de façon irrégulière, une tranche de succédané de saucisson, d'une consistance étrangement spongieuse, certes, mais prodigieusement appétissante : l'eau en vient à la bouche, ces matins-là.

Après la journée de travail, l'appel du soir et le retour dans les baraquements, le *Stubendienst* distribue la ration de soupe, un brouet léger où flottent des débris de légumes, choux, rutabagas, principalement, et de rares filaments de viande maigre. La seule soupe relativement épaisse de la semaine est la soupe aux nouilles du dimanche. Un régal, on en pleurerait — mais je l'ai déjà dit.

Chacun dispose à sa guise de la ration quotidienne.

Certains la dévorent aussitôt. Même debout, parfois, s'il n'y a plus de place assise aux tables des réfectoires. Ils n'auront plus rien à manger jusqu'à la soupe du soir. Douze heures de travail forcé, plus deux heures, en moyenne, d'appel et de transport.

Quatorze heures à endurer, le ventre vide.

D'autres, dont j'essaie d'être, gardent pour la pause de midi une partie de la ration quotidienne. Ce n'est pas facile. Il y a des jours, nombreux, où je n'y parviens pas. Il faut se prendre en main, se faire violence, pour ne pas tout dévorer aussitôt. Car on vit dans une angoisse nauséeuse de faim permanente. Il faut oublier un instant la faim de l'instant même, obsédante, pour imaginer concrètement celle que l'on aura à midi si on n'a rien gardé pour cette heure-là. Il faut essayer de réduire, de maîtriser la faim réelle, immédiate, avec l'idée de la faim à venir, virtuelle mais lancinante.

Quoi qu'il résulte de ce combat intime de chaque jour, je n'ai pour me nourrir que la ration du camp, la même, en principe, pour tous les détenus.

Certains, pourtant, en nombre difficile à préciser (plusieurs centaines de déportés, en tout cas), échappent à la règle commune.

Je ne parle pas des privilégiés, kapos, chefs de block, *Vorarbeiter* (contremaîtres), hommes du *Lagerschutz*, ainsi de suite. Ceux-là ne touchent même pas à la soupe quotidienne, la méprisent, l'ignorent, vivant sur un circuit alimentaire parallèle, connu des SS, bien entendu, du moins dans ses grandes lignes d'appropriation et de distribution. Et toléré par eux. Il n'y aurait conflit, aussitôt tranché dans le vif par les autorités nazies, qu'au cas où l'activité de ce circuit parallèle porterait atteinte aux intérêts et aux trafics des SS eux-mêmes.

Mais je ne parle pas des *Prominenten*.

Je parle de la plèbe de Buchenwald, qui n'est d'ailleurs

pas une masse informe, indifférenciée, mais un ensemble social relativement structuré, hiérarchisé, selon des critères d'appartenance politique ou nationale, de place dans le système de production, de qualification professionnelle, de connaissance ou d'ignorance de la langue allemande — langue des maîtres et des codes de travail, de communication et de commandement. Langue de survie possible, donc.

En fonction aussi, bien sûr — j'en parle en dernier, mais c'est primordial —, de l'état de santé, de la fraîcheur physique.

Toutes ces conditions objectives s'agencent d'une façon qui n'a plus rien à voir avec les clivages de classe des sociétés du dehors. Ainsi, à Buchenwald, il vaut mieux être ajusteur qualifié que professeur d'université ou ancien préfet. Et si on est étudiant, il vaut mieux se débrouiller en allemand, afin de compenser l'absence de qualification qui vous interdit de travailler à l'usine, sur la chaîne de montage de la Gustloff, formidable planque.

Même dans la plèbe du camp, donc, il y a des centaines de déportés qui échappent à la règle commune de la portion congrue. Dans certains kommandos de travail, en effet, généralement ceux de la maintenance intérieure, de l'intendance de Buchenwald, il y a parfois du rab à distribuer, soupe ou rations de pain et de margarine. Ainsi, aux cuisines, au magasin général, aux bains et à la désinfection, à l'infirmerie, au service des chambrées, il est assez habituel que les déportés disposent de quelque supplément appréciable de nourriture.

Mais je ne suis pas affecté à l'un de ces kommandos de maintenance. Je suis à l'*Arbeitsstatistik*, le bureau qui gère la main-d'œuvre déportée, qui la distribue dans les différentes usines ou lieux de travail, qui organise les transports vers les kommandos extérieurs.

C'est un lieu de prestige et de pouvoir, sans doute.

Je peux m'adresser d'égal à égal aux chefs de block, aux kapos. Ils savent que je suis à l'*Arbeit*, ils m'auront déjà vu avec Seifert, ou avec Weidlich, l'adjoint de ce dernier. Ils écouteront ma demande, quelle qu'elle soit. Ils ne tiendront pas compte de mon numéro de matricule, qui prouve que je suis nouveau venu, que j'ai seulement une année de camp à mon actif. Ils ne s'étonneront pas de voir le S, pour *Spanier*, Espagnol, imprimé en noir sur mon triangle rouge, à la place du cœur. Pourtant, ceux qui commandent ici sont surtout des Allemands ou des Tchèques du protectorat de Bohème-Moravie.

Mais ça ne fait rien : malgré mes vingt ans, malgré mon numéro récent, malgré le S noir sur le triangle rouge, ils m'écouteront. Ils seront attentifs, serviables, polis même, dans les limites de leur rudesse habituelle, bien sûr.

Parce que je leur parle en allemand, d'abord. Et puis parce qu'ils savent que je fais partie de l'*Arbeitsstatistik*. Une sorte de fonctionnaire d'autorité, en somme.

Aucun privilège alimentaire, cependant, n'est attribué à ceux qui travaillent à l'*Arbeit*. Je veux dire, à ceux qui, comme Daniel Anker et moi, y travaillent sans appartenir vraiment à la caste dirigeante, à l'aristocratie rouge, au cercle des vétérans des années terribles.

— Qu'est-ce que tu fais ? me demande Kaminsky, apparemment sidéré.

Ce jour-là, c'était l'automne, encore. Une lumière rousse éclaboussait la forêt de l'Ettersberg. C'était pendant la pause de midi. J'étais dans l'arrière-salle de l'*Arbeitsstatistik*.

C'était une question absurde. Ça se voyait, ce que je faisais : je mangeais.

Le matin, je n'avais pas résisté à l'envie de dévorer toute ma portion de margarine. Je n'avais réussi à garder que la moitié, à peu près, de la ration quotidienne de pain noir. J'étais attablé et je mangeais cette moitié de ration, lentement, en savourant chaque bouchée.

Kaminsky me regardait, visiblement stupéfait.

— Mais... je mange... Ça se voit, non, que je mange ? répliqué-je d'un ton brusque.

J'avais découpé la mince tranche de pain noir qu'il me restait encore en tout petits morceaux carrés. Je mettais les morceaux de pain dans ma bouche, l'un après l'autre. Je les mâchais très lentement, dégustant la consistance grumeleuse, l'acidité tonique du pain noir. Je n'avalais qu'après avoir réduit chaque minuscule morceau en une sorte de bouillie délicieuse.

Mais il arrivait toujours un moment où la bouchée de pain était avalée, où la dernière miette lentement mastiquée avait disparu. Il n'y avait plus de pain. Il n'y en avait jamais eu, en vérité. Malgré tous les subterfuges, les ruses et les détours, il y avait toujours trop peu de pain pour que j'en garde en mémoire. C'était fini, pas moyen de me souvenir. Il n'y avait jamais assez de pain pour que j'en « fasse de la mémoire », aurait-on dit en espagnol, *hacer memoria.* La faim revenait aussitôt, insidieuse, envahissante, comme une sourde pulsion nauséeuse.

On ne pouvait faire de la mémoire qu'avec des souvenirs. Avec de l'irréel, en somme, de l'imaginaire.

Ainsi, le dimanche, des déportés se réunissaient en petites communautés de voisinage ou de copinage pour se raconter des bouffes. On ne pouvait pas se souvenir de la soupe de la veille, ni de celle du jour même, elles avaient disparu sans laisser de traces dans les oubliettes du corps, mais on pouvait se rassembler pour écouter quelqu'un raconter en détail le repas de noces de la cousine Dupont, qui avait eu lieu cinq ans auparavant. On ne pouvait se rassasier qu'au souvenir.

En tout cas, j'étais attablé dans l'arrière-salle de l'*Arbeit* et je déglutissais lentement les petits carrés de pain noir.

J'avais fait réchauffer un gobelet de cette boisson que je vais continuer de nommer « café », pour ne pas dérouter le lecteur, ni le distraire de l'essentiel. Il y avait toujours un bidon de rab de café dans l'arrière-salle de l'*Arbeit*.

Les réchauds électriques étaient totalement interdits, à vrai dire. Et leur fabrication, dans l'un des ateliers du camp, illégale. En principe, leur utilisation était considérée par les SS comme un acte de sabotage. Autrefois, elle aurait été sévèrement punie.

Mais les temps avaient changé, la discipline s'était relâchée et dans tous les cagibis de chefs de block, les réfectoires de tous les kommandos de maintenance, à l'intérieur du camp proprement dit, on trouvait des réchauds électriques, plutôt rudimentaires mais bien utiles. Dans l'arrière-salle de l'*Arbeit*, nous en avions deux ou trois : propriété collective.

« Le camp n'est plus qu'un sana, désormais ! » proclamaient à la moindre occasion les vétérans communistes allemands.

Au début, je trouvais qu'ils y allaient un peu fort, que leur humour de rescapés était un peu insultant pour nous, les novices, les nouveaux venus. Mais à mesure que les récits des uns et des autres — il n'y avait rien de plus passionnant que d'arriver à faire parler les anciens — recomposaient pour moi le passé de Buchenwald, j'avais fini par deviner ce qu'ils voulaient dire.

Bon, d'accord, on avait compris : le camp n'était plus qu'un sana !

— Tu manges, je vois bien que tu manges ! s'exclame Kaminsky. Mais pourquoi du pain sec ?

Il a l'air stupéfait. L'air de penser que c'est absurde de manger du pain sec.

De son point de vue, ça doit être incompréhensible, en effet.

Il me vient une envie de l'insulter, de lui dire ses quatre vérités, du moins pour le ramener à la réalité.

Mais je vois ses yeux s'arrondir soudain, son regard se fixer dans une sorte d'illumination.

Il se souvient, sans doute. Se souvient de l'époque où le camp n'était pas un sana ; se souvient de la maigre ration de pain noir, oubliée ; se souvient de la soupe claire, autrefois.

— Tu n'as rien à manger avec ton pain sec, c'est ça ! s'exclame-t-il.

C'est ça, en effet, c'est tout bêtement ça.

Il tombe des nues, il m'entraîne, me demande de le suivre.

Nous quittons la baraque où se trouvent l'*Arbeitsstatistik*, la *Schreibstube*, le « secrétariat », et la bibliothèque. En face, à l'orée de l'esplanade de la place d'appel, se trouve la baraque du *Lagerschutz*.

Il y règne une odeur de propreté et de plats mijotés.

Kaminsky me conduit jusqu'à son placard personnel. Les étagères sont remplies de victuailles de réserve. Kaminsky attrape un bloc de margarine, qu'il me donne. Au petit matin, dans un bloc de margarine semblable, de forme cubique, le *Stubendienst* qui distribue nos rations quotidiennes découpe au fil d'acier les parts de plusieurs déportés : huit rations quand je suis arrivé à Buchenwald, en janvier 1944 ; dix à la fin de l'été. Douze à présent, au cœur de l'hiver.

Les survivants, s'il y en a, vont avoir bonne mine.

Je contemple le placard de Kaminsky, pendant qu'il me tend un bloc cubique de margarine identique à ceux que l'on découpe à l'aube en douze rations quotidiennes pour le commun des mortels, dont je suis.

Je connaissais déjà les placards personnels des vétérans. Dans l'arrière-salle de l'*Arbeit*, nous avions tous nos placards personnels. Ceux des vétérans regorgeaient de victuailles. J'y avais parfois vu moisir du pain blanc.

Il n'y avait que deux placards pratiquement vides : celui de Daniel Anker et le mien.

Dans mon placard et dans celui de Daniel Anker, outre nos gobelets et nos gamelles, il n'y avait habituellement que la part des rations quotidiennes que nous avions réussi à préserver pour la pause de midi, ou bien pour les longues heures de l'équipe de nuit, le cas échéant. Les jours où la soupe était remplacée par une ration de pommes de terre bouillies, nous y conservions les épluchures. Car nous mangions d'abord les pommes de terre épluchées et gardions les épluchures pour les faire griller sur l'un des réchauds électriques. C'était un mets délicat.

Il arrivait aussi qu'il n'y eût rien dans nos placards, à part nos gobelets et nos gamelles, les jours où nous n'avions pas réussi, Anker et moi, à surmonter la faim à l'instant même de la distribution matinale.

La dernière fois que j'ai vu Daniel Anker, c'était dans une librairie de Saint-Germain-des-Prés. J'y signais des exemplaires d'un de mes livres. Il a dû remarquer la surprise dans mon regard, l'étonnement.

— Mais oui, Gérard, m'a-t-il dit, je suis vivant !

Il a deviné que j'essayais de calculer l'âge qu'il pouvait bien avoir.

— Te fatigue pas, vieux ! Je viens de fêter mon quatre-vingt-onzième anniversaire !

Je le regarde, sidéré : le poil ras, tout blanc, certes, mais encore gaillard, l'œil vif. Ça me laisse de la marge !

— Merde, t'en vante pas trop ! On va nous dire, sinon, que Buchenwald n'était qu'un sana !

Il rit, me tombe dans les bras. Nous ne savons pas comment mettre fin à notre étreinte, secoués par le fou rire et l'émotion.

Il s'écarte.

— *Das Lager ist nur ein Sanatorium, heute !*

Anker parle parfaitement l'allemand, c'est pourquoi il était l'homme de liaison du PCF à l'*Arbeit.*

Il a quasiment hurlé la phrase d'autrefois, des vétérans acariâtres d'autrefois. On se retourne vers nous, dans la librairie.

Mais je ne peux pas saisir cette excellente occasion de parler de mon copain Daniel Anker. Il me faut revenir à Kaminsky, au dimanche de décembre ensoleillé.

— Les voilà ! s'écrie-t-il soudain.

Sa voix est inhabituellement aiguë, irritée, semble-t-il. Je tourne la tête, suis son regard.

Les voilà, en effet. Ils commencent à arriver.

Marchant à petits pas, s'appuyant parfois les uns aux autres, ou sur des cannes et des béquilles de fortune, bricolées, arrachant leurs galoches à la neige boueuse, dans un piétinement décomposé, ralenti, mais obstiné, les voilà qui arrivent.

Sans doute veulent-ils profiter du soleil hivernal, ce dimanche. Mais ils seraient venus de toute façon, n'importe quel dimanche, sous les bourrasques de neige et de pluie, tout aussi bien.

Ils venaient le dimanche, après l'appel, quel que fût le temps.

Les latrines collectives du Petit Camp étaient leur lieu de rendez-vous, d'échanges, de palabres, de liberté. Souk de souvenirs, marché de troc aussi, dans la vapeur puante de la fosse d'aisance. Pour rien au monde, quel que fût l'effort à faire — tant qu'un effort demeurerait pensable, du moins —, ils n'auraient manqué ces après-midi du dimanche.

— Ces foutus Musulmans, bougonne Kaminsky.

C'était lui qui avait employé pour la première fois ce terme devant moi, « Musulmans ». Je connaissais la réalité que ce mot désignait : la frange infime de la plèbe du camp qui végétait en marge du système de travail forcé, entre la vie et la mort. Mais je ne savais pas encore, jusqu'au jour où Kaminsky l'utilisa, que ce mot, dont l'origine est obscure et controversée, existait, en tant que terme générique, dans le sabir de tous les camps nazis.

Avant de connaître le mot « Musulmans », je donnais aux déportés qui exhibaient les signes caractéristiques de la décrépitude physique et de l'ataraxie morale des noms provenant de la vie d'avant, des sociétés du dehors : *« Lumpen »* ou « clochards ».

Je savais bien que c'était un à-peu-près, que la société concentrationnaire et celle du dehors n'étaient en aucun cas comparables, mais ces mots approximatifs suffisaient à me faire comprendre ce que je voyais.

Dès le jour où il avait employé pour la première fois le terme, j'avais compris que Kaminsky n'aimait pas les Musulmans.

Mais ce n'est pas le mot qu'il faut, le mot convenable.

Il ne s'agit pas d'aimer ou de ne pas aimer, en effet. Les Musulmans le dérangent, voilà. Ils troublent, par leur simple existence, la vision qu'il s'est forgée de l'univers concentrationnaire. Ils contredisent, dénient même, le comportement qui lui semble indispensable pour survivre. Les Musulmans introduisent dans son horizon idéologique un élément d'incertitude insaisissable, parce qu'ils échappent, par leur nature même, leur marginalité improductive, leur ataraxie, à la logique manichéenne de la résistance, de la lutte pour la vie, la survie.

Les Musulmans sont au-delà de ces notions : au-delà de la vie, de la survie. Tous nos efforts pour nous tenir ensemble, pour bien nous tenir, doivent leur paraître incongrus. Dérisoires, même. À quoi bon ? Ils sont déjà ailleurs, flottant dans une sorte de nirvana cachexique, de néant cotonneux, où toute valeur est abolie, où seule l'inertie vitale de l'instinct — lumière vacillante d'une étoile morte : âme et corps épuisés — les fait encore bouger.

— Ces foutus Musulmans, bougonne Kaminsky.

Je regarde le premier groupe qui s'approche, essayant d'y distinguer « le mien », mon jeune Musulman français. Il n'y est pas. Je ne le vois plus depuis deux semaines, ça m'inquiète.

— *Me largo,* dit Kaminsky (en espagnol : je me tire). À six heures, au *Revier* !

Il fait trois pas pour s'éloigner, se retourne.

— D'ici là, fais comme d'habitude... Amuse-toi avec ton professeur et tes Musulmans !

Dans sa voix se mêlent l'ironie et l'irritation.

Mon professeur, c'est Maurice Halbwachs, bien sûr. Depuis que j'avais appris son arrivée à Buchenwald, quelques mois auparavant, je profitais du loisir dominical pour lui rendre visite, au block 56, l'un de ceux où s'entassaient les vieillards et les invalides, inaptes au travail.

Halbwachs était le voisin de châlit de Maspero. Tous deux se mouraient lentement.

À la rigueur, Kaminsky pouvait admettre, sinon comprendre, l'intérêt que je portais à mon professeur de la Sorbonne. Il ne trouvait pas très toniques ni très positives les conversations philosophiques — forcément filandreuses, de son point de vue — dont je lui avais parfois touché un mot. Mais, enfin, il pouvait admettre.

— Tu ferais aussi bien d'aller au bordel, le dimanche ! s'exclamait-il pourtant quand il était question de mes visites à Halbwachs.

Je lui faisais remarquer que le bordel était réservé aux Allemands. Pas même aux Allemands en général, seulement aux Allemands du Reich, aux *Reichsdeutsche.* Les Allemands des minorités d'au-delà les frontières du Reich, les *Volksdeutsche,* n'y avaient pas droit.

— C'est pour toi et les tiens, le bordel, lui disais-je. Y vas-tu, à propos ?

Il hochait la tête. Non, il n'y allait pas, avais-je cru comprendre. Cela ne m'étonnait pas. Le Parti allemand déconseillait fortement à ses militants de postuler à un billet de bordel, pour des raisons de sécurité. Et Kaminsky était un militant discipliné.

Mais j'avais mal interprété son hochement de tête.

Il n'était pas un Allemand du Reich, c'est ça qu'il avait voulu me signifier.

Certes, il portait comme tous ses compatriotes le triangle rouge sans aucune lettre d'identification nationale. Pour les besoins de la vie administrative du camp, il était donc considéré comme un Allemand. Mais, sur une liste spéciale de la Gestapo, il était classé comme rouge espagnol, *Rotspanier,* à cause de son appartenance aux Brigades internationales.

— C'est la Gestapo qui contrôle l'octroi des billets de bordel, avait-il dit, alors, il est probable que je n'en aurais jamais obtenu !

— En somme, quand on est rouge espagnol, ici, on n'a pas le droit de tirer un coup ! avais-je conclu.

En espagnol, d'ailleurs, car je ne connaissais pas le mot d'argot allemand convenable. Ou convenu, si l'on préfère.

Kaminsky s'était esclaffé. L'expression espagnole adéquate, *echar un polvo,* l'avait ravi, parce qu'elle lui rappelait des souvenirs.

Il aimait bien ses souvenirs d'Espagne. Pas seulement ceux où il avait eu l'occasion de tirer un coup, tous ses souvenirs d'Espagne. Même ceux qui étaient chastes.

Quoi qu'il en soit, Kaminsky avait fini par s'habituer à mes rencontres avec Maurice Halbwachs. « Pas très tonique de passer ton dimanche après-midi à l'orée de la mort », maugréait-il, mais enfin, il admettait que l'on puisse avoir du respect, une affection admirative, pour un vieux professeur.

En revanche, il ne comprenait pas du tout que je m'intéresse aux Musulmans, mais alors pas du tout !

« Bethsaïda, la piscine des cinq galeries, était un point d'ennui. Il semblait que ce fût un sinistre lavoir, toujours accablé de la pluie et noir… »

Un an auparavant, en franchissant pour la première fois le seuil des latrines collectives du Petit Camp, j'avais pensé au texte de Rimbaud.

Je l'avais récité pour moi-même. À voix haute, d'ailleurs, indistincte et brouillée dans le brouhaha de cette cour des miracles.

Ni piscine ni galeries, certes. Mais l'évocation poétique était pertinente, néanmoins : c'était bien un « sinistre lavoir ». D'autres mots du texte de Rimbaud me semblaient décrire ce que je voyais… *« Les mendiants s'agitant sur les marches intérieures […] les linges blancs ou bleus dont s'entouraient leurs moignons. Ô buanderie militaire, ô bain populaire… »*

C'était une baraque en bois, de dimensions analogues à toutes celles de Buchenwald. Mais l'espace disponible n'était pas cloisonné, divisé en deux ailes symétriques — dortoir, réfectoire, salle d'eau, de chaque côté de l'entrée — comme dans les baraques du Grand Camp. Ici, une fosse d'aisance cimentée, où coulait sans cesse un filet d'eau, traversait le bâtiment sur quasiment toute sa longueur. Une poutre épaisse, à peine équarrie, surplombait la fosse et servait d'assise. Deux autres poutres, plus légères, parallèles, fixées à une hauteur supérieure, permettaient l'appui dorsal des accroupis, deux rangées de déportés se tournant le cul.

Habituellement, des dizaines de déportés déféquaient en même temps, dans la buée pestilentielle caractéristique des lieux.

Sur tout le pourtour, le long des murs de l'espace rectangulaire, il y avait des rangées de lavabos en zinc, avec de l'eau froide courante.

C'est là que les déportés du Petit Camp étaient obligés de venir, leurs baraques ne possédant pas, comme celles du Grand Camp, d'installations sanitaires. Seuls les chefs de block et les membres du *Stubendienst* en disposaient, mais elles étaient interdites à la plèbe.

Les déportés venaient donc dans la baraque collective pour faire leurs besoins, leur toilette, pour laver leur linge aussi, sans cesse souillé.

La chiasse était, en effet, le lot habituel des deux catégories de détenus qui peuplaient le Petit Camp. Ceux qui venaient d'y arriver, qui y étaient encore en période de quarantaine (avant l'envoi en transport dans un kommando extérieur, ou l'affectation à un poste de travail stable au Grand Camp) étaient victimes des troubles que provoquaient inévitablement le changement brusque de régime alimentaire et la consommation d'une eau fétide, à peine potable.

La seconde catégorie, couche inférieure de la plèbe du camp, était constituée des quelques centaines de déportés inaptes au travail, invalides, ou brisés par le système de production et sa rigueur despotique. Ces derniers se décomposaient dans la puanteur d'une agonie plus ou moins lente, qui rongeait et liquéfiait leurs entrailles.

Mais la baraque des latrines était encore presque vide lorsque j'y suis entré, ce dimanche-là, après le départ de Kaminsky.

Mon jeune Musulman français ne s'y trouvait pas.

Je l'avais remarqué un dimanche déjà lointain, à l'orée de l'automne. À peu près au moment où j'avais appris l'arrivée de Maurice Halbwachs, sa présence au block 56 des invalides. Sans doute est-ce un dimanche où j'allais visiter mon ancien professeur que je l'avais remarqué.

Au soleil, à l'extérieur de la baraque des latrines, du côté du petit bois qui s'étend jusqu'à l'infirmerie, le *Revier*.

J'avais remarqué son numéro de matricule, plutôt.

Lui — si tant est qu'il fût licite, ou approprié, d'employer un pronom personnel ; peut-être aurait-il été plus juste, plus ajusté, de dire « ça » — lui, en tout cas, ce n'était que ça, un amoncellement de hardes innommables. Un tas informe, avachi contre la paroi extérieure du bâtiment des latrines.

Mais le numéro de matricule était nettement visible.

J'ai sursauté : ce numéro suivait le mien de très près. On pouvait imaginer : la nuit de mon arrivée à Buchenwald, huit mois plus tôt, cet être — c'était une présomption, un pari, en tout cas ; on pouvait présumer que cet amas numéroté, tassé, affalé, immobile au soleil encore tiède de l'automne, au visage invisible, la tête enfoncée dans les épaules, fût doué d'existence —, huit mois plus tôt, dans la nuit interminable de l'arrivée à Buchenwald, cet être avait dû courir tout près de moi dans le couloir souterrain qui reliait le bâtiment des douches et de la désinfection à celui du magasin d'habillement. Il avait dû courir tout nu, comme moi. Il avait dû, tout comme moi, ramasser à la volée les vêtements incongrus, disparates — scène grotesque, on avait eu le temps d'en prendre conscience, peut-être en aurions-nous ri ensemble, s'il avait été à mon côté —, qu'on lui jetait pendant qu'il défilait au pas de course devant le comptoir de l'*Effektenkammer*.

Pour finir, nu, rasé de partout, douché, désinfecté, ahuri, il avait dû se trouver devant les détenus allemands qui remplissaient nos fiches personnelles.

Juste derrière moi, à quelques numéros, à quelques mètres derrière moi.

Soudain, il avait levé la tête. Sans doute était-il encore assez vivant pour sentir mon regard sur lui. Mon regard angoissé, dévasté, appesanti sur lui.

Il s'avérait que cet être n'avait pas seulement un numéro de matricule, il avait aussi un visage.

Sous le crâne rasé couvert de croûtes purulentes, ce visage était réduit à une sorte de masque sans grand relief, presque plat : structure osseuse apparente, fragile, montée sur un long cou décharné. Mais ce masque quasiment transparent, translucide, était habité par un regard étrangement juvénile. Insoutenable, ce regard vivant sur un masque mortuaire.

Cet être d'au-delà de la mort devait avoir mon âge : vingt ans, plus ou moins — pourquoi la mort n'aurait-elle pas eu vingt ans ?

Jamais je n'aurai aussi fortement senti la proximité, la prochaineté, de quelqu'un.

Ce n'était pas seulement le hasard de ce numéro de matricule, si proche, qui me permettait d'imaginer notre arrivée à Buchenwald, anonymes l'un pour l'autre, inconnus l'un de l'autre, mais ensemble, liés par une fraternité de destin quasiment ontologique, même si nous ne nous étions encore jamais rencontrés dans cette vie.

Ce n'était pas seulement ce hasard-là, pour riche qu'il fût en possibilités de communication, de communion.

Notre proximité était plus profonde, ne tenait pas seulement à la circonstance de nos numéros. À dire vrai, j'avais la certitude — déroutante, irraisonnée peut-être, mais assurée d'elle-même, sans faille —, la certitude, ainsi, qu'il m'aurait contemplé, le cas échéant, le hasard renversé, avec le même intérêt, le même désintéressement, la même gratitude, la même compassion, la même exigeante fraternité que je sentais affleurer, se condenser dans mon âme à moi, dans mon regard.

Ce mort vivant était un jeune frère, mon double peut-être, mon *Doppelgänger* : un autre moi-même ou moi-même en tant qu'autre. C'était l'altérité reconnue, l'identité existentielle perçue comme possibilité d'être autre, précisément, qui nous rendait si proches.

Une suite de hasards, de malchances minimes, de chances inespérées, nous avait séparés dans le parcours initiatique de Buchenwald. Mais je pouvais m'imaginer aisément à sa place, comme il aurait pu, sans doute, se mettre à la mienne.

Je me suis assis à côté de cet inconnu de mon âge.

Je lui ai parlé, il semblait écouter. Je lui racontais la nuit lointaine de l'arrivée à Buchenwald, la nuit de notre arrivée, ensemble. Je voulais, même si sa capacité d'écoute, d'attention, de compréhension, était amoindrie, émoussée par la déréliction physique et spirituelle, je voulais raviver en lui l'étincelle du souci de soi, de la mémoire personnelle. Il ne pourrait s'intéresser de nouveau au monde que s'il parvenait à s'intéresser à lui-même, à sa propre histoire.

J'ai parlé longtemps, il écoutait mon récit. L'entendait-il ?

Parfois, j'avais l'impression qu'il réagissait : battement de paupières, semblant de sourire, mouvement soudain des yeux essayant de fixer mon regard, au lieu de se perdre dans l'ailleurs, l'enfoui, l'indéfini.

Mais il n'a rien dit, ce jour-là, ce premier jour, pas un mot.

Il s'est borné à faire un geste, un geste qui n'était pas suppliant, d'ailleurs, ni hésitant, mais curieusement impérieux. Il a mimé la cigarette qu'on roule, qu'on porte à ses lèvres, la bouffée qu'on tire.

Il se trouvait que Nikolaï, le *Stubendienst* russe du block 56, celui où se mourait Halbwachs, qui tenait beaucoup à me prouver son allégeance — il n'était pas inutile, devait-il penser, de se concilier les bonnes grâces d'un type comme moi, qui travaillait à l'*Arbeitsstatistik* —, venait de m'offrir une poignée de cigarettes, de *machorka*.

J'en ai donné une au jeune Musulman, que j'ai allumée pour lui. Il en a eu, de bonheur, les yeux humides.

Le dimanche suivant, il pleuvait.

J'ai fini par le trouver à l'intérieur de la baraque des latrines, dans la cohue chaleureuse et pestilentielle. Cette fois-là, il m'a écouté de nouveau, sans dire un mot. Et je lui ai donné deux rouleaux de *machorka*, avant qu'il ne les exige d'un geste impératif, presque arrogant.

En somme, je le payais en tabac pour qu'il m'écoute lui raconter ma vie. Je ne faisais rien d'autre, désormais : ma vie d'avant et celle de Buchenwald, mêlées, entrecroisées. Mes rêves aussi. Ceux d'avant, hantés *(L'« assaut au soleil des blancheurs des corps de femmes »)*, et les rêves de Buchenwald, englués dans l'insaisissable et visqueuse présence de la mort. Nul ne saura mesurer objectivement si cette cure m'aura été bienfaisante. J'ai plutôt tendance à n'en pas douter.

C'est le troisième dimanche qu'il prononça soudain

quelques mots. Deux mots, à vrai dire, deux mots seulement, mais péremptoires.

Comme j'insistais auprès de lui pour avoir une réponse à je ne sais plus quelle question qui me semblait importante, il m'observa d'un air d'immense commisération, comme on observe un débile, un enfant attardé.

— Parler fatigue, dit-il.

Sa voix était éraillée, mal posée, elle trébuchait entre les aigus et les graves, plutôt peu attirante. Une voix qui n'avait pas dû beaucoup servir ces derniers temps, qui était redevenue sauvage.

Ensuite, l'hiver s'écroula sur Buchenwald : bourrasques de pluie glaciale et de neige. La baraque des latrines du Petit Camp devint une halte nécessaire sur le chemin du block 56, où dépérissait Maurice Halbwachs.

À peu près à mi-chemin entre le block 40, le mien, bâtiment en ciment, à deux niveaux, à la lisière du Petit Camp, dont il était séparé par du fil de fer barbelé, non électrifié, franchissable par divers accès permanents, et le block 56, où croupissaient les invalides, Musulmans ou non, la baraque des latrines devenait en hiver un havre de chaleur et de repos, malgré la puanteur, le vacarme, le spectacle de la déchéance qui s'y jouait.

Un dimanche de cet hiver 1944, l'un des plus froids, sous la bourrasque de neige, j'y avais retrouvé mon jeune Musulman. Assis à ses côtés, je me réchauffais avant d'aborder la dernière partie du trajet. Nous étions tous deux silencieux.

Devant nous, devant notre regard devenu indifférent, s'alignait la longue rangée de déportés accroupis, déféquant. Recroquevillés dans la douleur lancinante de la défécation. Non loin, sur notre gauche, un groupe de vieillards se chamaillaient à propos d'un mégot de cigarette qui ne circulait sans doute pas équitablement. Certains devaient s'estimer lésés, protestaient. Mais leur épuisement faisait de cette protestation, qu'ils auraient probablement voulue véhémente, un simulacre de gestes et de murmures dérisoirement pitoyables.

Je n'ai pu m'empêcher de déclamer à voix haute le poème en prose de Rimbaud, auquel j'avais parfois pensé depuis que je connaissais les latrines collectives du Petit Camp.

« Bethsaïda, la piscine des cinq galeries, était un point d'ennui. Il semblait que ce fût un sinistre lavoir, toujours accablé de la pluie et noir... »

Il avait poussé une sorte de cri rauque, réveillé soudain de sa léthargie cachexique.

J'avais poursuivi sur ma lancée.

« Les mendiants s'agitant sur les marches intérieures, blêmies par ces lueurs d'orages précurseurs des éclairs d'enfer... »

Un trou de mémoire : la suite du poème s'était évanouie.

C'est lui qui avait poursuivi la récitation. Sa voix avait perdu le croassement métallique, la résonance ventriloque qu'elle avait eue le jour où je l'avais entendu prononcer deux mots.

D'une traite, d'un trait, d'un seul souffle, comme s'il avait retrouvé à la fois sa voix et sa mémoire, son être soi-même, il avait récité la suite.

« ... tu plaisantais sur leurs yeux bleus aveugles, sur les linges blancs ou bleus dont s'entouraient leurs moignons. Ô buanderie militaire, ô bain populaire... »

Il riait aux larmes : la conversation devenait possible.

J'avais découvert les Musulmans — que je n'appelais pas encore ainsi — dans la baraque des latrines collectives, dès la période de ma quarantaine au block 62.

C'est en me cachant là, parmi eux, que j'étais parvenu parfois à éviter les corvées auxquelles était soumise la masse des nouveaux venus, en quarantaine jusqu'au départ en transport ou jusqu'à l'insertion dans le système de travail du Grand Camp, en fonction de la qualification professionnelle ou de l'intérêt de l'organisation clandestine.

Les corvées de la quarantaine étaient pour la plupart épouvantables, parfois meurtrières.

On s'y trouvait, en effet, directement sous la férule des *Scharführer*, les sous-offs SS. Ils descendaient eux-mêmes au Petit Camp, en bandes hurlantes armées de gourdins et de longues matraques en caoutchouc (les fameuses *Gummi*, dans le sabir concentrationnaire), pour rafler les quelques dizaines de déportés dont ils avaient besoin dans le cadre d'une corvée déterminée.

Ils pénétraient dans la baraque, la vidaient en quelques minutes à coups de botte et de *Gummi*, arrachant des litières ceux d'entre nous qui prétendaient y sommeiller malgré le grouillement infect de la vermine.

Une fois les détenus dont ils avaient besoin rassemblés devant la baraque, les colonnes formées par rangs de cinq (*Zu fünf, zu fünf !*, rengaine obsessionnelle du commandement SS), la marche commençait, sous les coups et les cris.

À ces moments-là, il me fallait aussitôt opposer au langage guttural et primaire des SS, réduit à quelques mots grossiers d'insulte ou de menace *(Los, los ! Schnell ! Schwein ! Scheisskerl !)* y opposer, dans mon for intérieur, dans ma mémoire, la musique de la langue allemande, sa précision complexe et chatoyante.

J'avais moins de mal à m'abstraire du chaos ambiant si j'avais réussi à éviter l'une des extrémités de la rangée de cinq, la place idéale étant celle du milieu, qui vous mettait hors d'atteinte des matraques. Alors, dans le grondement guttural des SS., je pouvais plus facilement évoquer ou invoquer silencieusement la langue allemande.

« Wer reitet so spät durch Nacht und Wind... » Ou bien : *« Ich weiss nicht was soll es bedeuten, dass ich so traurig bin... »* Ou encore : *« Ein Gespenst geht um in Europa : das Gespenst des Kommunismus... »*

Même quand ce n'étaient pas les SS eux-mêmes qui venaient rassembler les déportés, même quand ils ordonnaient aux chefs de block du Petit Camp de conduire à tel endroit et à telle heure tel nombre de détenus de la quarantaine, le travail proprement dit s'effectuait toujours sous leur contrôle direct.

Dans l'horreur de la brutalité la plus arbitraire, autrement dit.

Les corvées étaient diverses, toujours pénibles, parfois insupportables. Inutiles, de surcroît. À la carrière, par exemple, la *Steinbruch,* on transportait des pierres d'un endroit à l'autre, sans rime ni raison apparente, pour les rapporter la plupart du temps au point de départ. Les pierres étaient lourdes, elles mortifiaient l'ossature de l'épaule sur laquelle on les plaçait pour les transporter au pas de course. Les SS et les chiens couraient à côté de nous, nous harcelant d'aboiements, de brèves morsures des mollets, de coups de *Gummi* sur les reins.

La pire des corvées, la moins absurde pourtant, la seule à laquelle on aurait pu attribuer un semblant d'utilité, était celle de la *Gärtnerei.* La corvée de jardinage, autrement dit. Qui était en fait, et c'est ainsi que nous la dénommions, la « corvée de merde ». Car il s'agissait de transporter l'engrais naturel ramassé dans le collecteur des égouts de Buchenwald jusqu'au jardin potager de la garnison SS. Nos excréments nourrissaient la terre où poussaient les salades vertes, les légumes frais de la cantine SS.

Il fallait transporter la matière fécale dans des bacs en bois, que l'on suspendait à une longue perche ; on la portait à deux, l'un devant l'autre, d'une épaule à l'autre.

La joie suprême des sous-offs SS consistait ces jours-là à apparier les déportés les plus disparates : un chétif et un gros ; un petit et un grand ; un malingre et un costaud ; un Russe et un Polonais. Le déséquilibre créait inévitablement des problèmes, provoquait parfois des conflits entre les deux porteurs, d'où naissait de l'animosité.

Rien ne faisait autant rire les SS que les rixes entre déportés, où ils intervenaient aussitôt à coups de matraque.

De toute façon, même si on parvenait à accorder son pas, à régler l'un sur l'autre le rythme de la marche, le dilemme était insoluble.

Si l'on respectait la cadence exigée par les SS, on ne pouvait éviter que l'ordure contenue dans les bacs ne vous éclaboussât. On était alors puni pour avoir sali ses vêtements, ce qui était contraire aux stricts règlements d'hygiène.

Mais si l'on parvenait à éviter salissures et éclaboussures puantes, on était tout de même puni : on n'avait pas respecté les délais impartis pour faire la course entre le dépôt collecteur des latrines et le jardin potager de ces messieurs.

Une vraie corvée de merde !

Au pied de la falaise rocheuse d'où on extrayait la pierre — c'était une corvée de carrière, *Steinbruch*, ce jour-là —, un sous-off SS nous attendait. C'est lui qui désignait à chacun d'entre nous le morceau de roche granitique qu'il faudrait transporter.

Mon plus proche voisin dans la file de la corvée était un jeune Russe aux yeux clairs, aux épaules larges, un costaud. Il faut dire que les jeunes Russes de Buchenwald étaient tous des costauds. Celui-là, je me demandais d'où il sortait. En tout cas, il n'était pas du block 62, le mien, où il n'y avait pour l'heure que des Français. Des résistants arrêtés en France, du moins, parmi lesquels quelques Espagnols.

Raflé par hasard et malchance au Petit Camp, probablement, ce jeune Russe inattendu.

Un peu plus tard, après qu'il m'eut sauvé la vie — la mise, en tout cas — j'ai supposé que le jeune Russe était une incarnation de l'Homme nouveau soviétique, tel que je l'imaginais, se dégageant de la gangue attristée du passé, non seulement dans certains discours politiques que l'on pouvait trouver grandiloquents, mais aussi dans la réalité des romans de Platonov ou de Pilniak, les poèmes de Maïakovski.

C'était idiot, certes ; naïf, pour le moins ; d'une innocence aveugle, idéologique.

Il s'est avéré, depuis, que l'Homme nouveau soviétique — l'utopie la plus sanguinaire du siècle —, il faut le chercher plutôt du côté du procureur Vichinsky, ou de celui de Pavel Morozov, ce gamin qui dénonça des parents peu enthousiastes à la police de Staline, haut fait qui en fit un héros de l'Union soviétique.

Mais ce jour-là, à la carrière de Buchenwald, après que le jeune Russe providentiel m'eut sauvé sinon la vie du moins la mise, je l'ai investi des vertus supposées de l'Homme nouveau : générosité, fraternité, don de soi, humanisme réel... « L'homme, le capital le plus précieux », n'était-ce pas le titre d'un discours fameux de Staline ?

Cette hypothèse s'étant historiquement effondrée, je ne sais plus quoi penser de ce jeune Russe. S'il ne pouvait incarner le fantasme de l'Homme nouveau issu de la Révolution, qui était-il ? N'aura-t-il pas été une figure, jeune, mais très ancienne, archaïque, de l'ange gardien ? Le bon ange, *el ángel bueno*, de ma lecture adolescente de Rafael Alberti ?

En tout cas, le jeune Russe avait pris sur son épaule la pierre que le SS m'avait attribuée, bien trop lourde pour moi. Il m'avait laissé la sienne, beaucoup plus légère, profitant d'un instant d'inattention inespérée du sous-off sadique. Par ce geste, il m'avait permis d'aller jusqu'au bout d'une corvée qui aurait pu m'être néfaste.

Geste inouï, totalement gratuit. Il ne me connaissait pas, ne me verrait plus jamais, ne pouvait rien attendre de moi. Membres anonymes, impuissants, de la plèbe du camp, nous étions sur un même plan d'égalité démunie de pouvoir. Geste de pure bonté, donc, quasiment surnaturel. C'est-à-dire, exemplaire de la radicale liberté de faire le bien, inhérente à la nature humaine.

Mais revenons au point de départ, au pied de la falaise rocheuse.

Le sous-officier SS de la carrière nous observait, le jeune

Russe et moi, mesurant nos forces respectives, probablement.

Je venais d'avoir vingt ans, j'étais un jeune homme maigre, dégingandé. Rien d'impressionnant, à coup sûr, pas vraiment balèze. Le SS ne savait rien de moi, il me jugeait sur mon apparence, ma maigreur, accentuée sans doute par quelques mois de prison et de camp. En tout cas, comparé au jeune Russe, je ne faisais sûrement pas le poids.

Le sous-off nous regarde, nous compare.

Un sourire s'épanouit sur son visage. Sourire ravi et cruel : humain, trop humain. L'inimitable sourire de l'humaine joie du mal.

D'un geste, il m'attribue un gros morceau de roc, qui doit peser des tonnes. Ensuite, il en désigne un bien plus léger, dentelle de granit gris, à mon coéquipier athlétique.

Le SS sourit toujours, frotte ses mains gantées de cuir noir. Une longue matraque en caoutchouc pend à son poignet gauche.

Il ne sait rien de moi, ce salaud : je vais lui montrer.

Il n'était pas là, cette nuit de septembre 1943, dans la forêt d'Othe. Nous étions tombés sur un barrage de la *Feldgendarmerie*, alors que nous transportions un chargement d'armes et d'explosifs parachuté à Jean-Marie Action. Sous le feu croisé de l'embuscade, nous avions été obligés d'abandonner les tractions avant dont les pneus venaient d'être crevés par des rafales d'armes automatiques. Le chef de maquis, un officier de réserve, à qui nous livrions ce parachutage avait réussi une opération délicate, pendant la nuit, dans l'assourdissante confusion d'un combat aveugle. Il avait réussi à mettre en place un groupe de couverture qui avait continué à ferrailler avec les *Feldgendarmes*. Lesquels, par chance, étaient restés groupés sur leur position, craignant sans doute de se disperser dans la futaie. Pendant ce temps, nous autres, chargés comme des baudets, nous avions déménagé armes et explosifs, les transportant jusqu'à la cache prévue, à quelque quinze kilomètres de marche dans la forêt nocturne, sous le poids du précieux fardeau.

Pas une seule mitraillette Sten, pas un gramme de plastic n'avaient été perdus.

À l'aube, finalement, quand tout avait été planqué dans la cave de pommes de terre qui allait servir de dépôt provisoire, je m'étais souvenu d'une page de Saint-Exupéry : aucune bête n'en aurait été capable, en effet !

J'empoigne le lourd morceau de roc, je le hisse sur mon épaule droite. Une sombre colère me pousse en avant, une bouffée de haine me réchauffe le cœur.

Un kilomètre plus loin, je me demande si je n'ai pas présumé de mes forces. Nous sommes sur le chemin de portage qui contourne la carrière. Vue imprenable sur le paysage : forêt de hêtres encore enneigée, colline de l'Ettersberg sous la fumée tutélaire du crématoire, plaine de Thuringe, riche et grasse, au loin, au piémont.

Le plus dur semblait fait, pourtant : la pente est descendante, désormais. Mais j'ai présumé de mes forces. Le morceau de roche me déchire l'épaule, m'opprime la cage thoracique. Je n'ai plus de souffle. Chaque nouveau pas en avant me demande un effort qui me trouble la vue. Il me faudrait m'arrêter un instant et reprendre ma respiration.

Le jeune Russe est sur mes talons. Il marche d'un pas léger, apparemment sans difficulté. Mais il ne me dépasse pas, il veille sur moi.

Le sous-off SS nous a suivis tranquillement, en fumant une cigarette. Il attend le moment où je vais m'effondrer. Il continue de sourire béatement.

Un vacarme éclate à la queue de la colonne, soudain. Il y a du remue-ménage, on entend des cris. Déportés et SS courent dans tous les sens.

Notre sous-off a tiré son pistolet automatique de l'étui. Il fait monter une balle dans le canon. Il dévale vers le lieu de l'incident.

Le jeune Russe vient à ma hauteur. Il me dit quelques mots, que je ne comprends pas. En russe, je ne comprends à peu près que les jurons, d'ailleurs fort monotones. Car il s'agit toujours d'aller baiser une femme de la famille, de préférence la mère de celui qu'on insulte.

Il ne jure pas, pour l'instant. Je n'entends ni le mot « mère », ni le mot « baiser ».

Il doit me donner des conseils. Des instructions, plutôt. Je ne comprends pas les mots, mais je comprends les gestes. Je comprends qu'il veut prendre le gros morceau de roche que je transporte pour me donner le sien. Il passe à l'acte, aussitôt. Il m'enlève la charge qui m'accablait, me coupait la respiration. Je prends en échange la pierre qu'il portait. J'ai envie de crier de joie : c'est léger comme tout, plume, papillon, sourire de femme, nuage cotonneux dans le ciel bleu !

— *Bistro, bistro !* crie le jeune Russe.

Ça, je comprends très bien.

Il veut qu'on fasse vite, avant que le sous-off SS ne revienne. Nous dévalons la pente du chemin de portage. Pour moi, c'est devenu facile, je me laisse glisser au petit trot dans la descente. Le jeune Russe va aussi vite que moi, malgré le roc qu'il transporte : une force de la nature.

Nous avons déposé notre charge sur le tas de pierres qu'une autre corvée, demain peut-être, quelque jour prochain, déplacera de nouveau, pour la beauté des tâches inutiles. Absurdes mais éducatives. Rééducatives, même.

Buchenwald, dans l'organigramme nazi, ne l'oublions pas, est un camp de rééducation par le travail, *Umschulungslager.*

Le jeune Russe me regarde, frais comme un gardon, visiblement content du tour qu'il a joué au sous-off SS. Il me parle et je retrouve dans son discours le verbe bien connu, « baiser ». Vu l'absence du mot « mère », généralement accolé audit verbe, j'en conclus qu'il exprime, cette fois-ci, la joie d'avoir « baisé » le SS.

Comme si ce n'était pas suffisant, il partage avec moi une moitié de rouleau de *machorka.* Nous fumons, le printemps s'annonce, il n'y a qu'à se laisser vivre, semble-t-il.

En me donnant ma part de tabac, il m'a appelé *« Tovaritch ».* Sur le moment, cela me conforte dans l'idée qu'il s'agit d'une incarnation de l'Homme nouveau soviétique. Aujourd'hui, il faut d'autres hypothèses.

Tovaritch, en tout cas, « camarade ».

Après cette expérience, j'ai essayé d'éviter les corvées de quarantaine : on peut comprendre.

Je ne pourrais pas compter chaque fois sur la chance qui semblait me poursuivre. Qui n'a cessé de me poursuivre, d'ailleurs. En Espagne, dix ans plus tard, dans la clandestinité antifranquiste, la chance me courrait toujours après. On me disait aussi, en Espagne, que j'avais de la chance, comme Kaminsky me l'avait fait observer, ce dimanche-là, lointain, à Buchenwald. Mais dans ma langue maternelle, la métaphore qui exprime cela est plus directe qu'en français, plus charnelle : *Tu si que has nacido con una flor en el culo !* s'exclamait-on. Né coiffé ou avec une cuiller d'argent dans la bouche, à la française ; avec une fleur dans le cul, à l'espagnole, c'était pourtant pareil. Sans doute pourrait-on épiloguer sémiologiquement sur la différence entre l'une et l'autre expression, en tirer des conclusions sur l'oralité et l'analité de l'une ou l'autre langue. Ce n'est certainement pas le moment.

La décision de créer un groupe d'autodéfense a été prise un soir, dans la baraque des latrines, après l'appel et la soupe, avant le couvre-feu. Nous étions trois, si je me souviens bien : Yves Darriet, Serge Miller et moi. Claude Francis-Bœuf, c'est Yves qui l'a amené au groupe. Et Hamelin, c'est Miller. Moi, je n'ai amené personne, je ne connaissais personne.

Le principe de fonctionnement du système d'autodéfense était simple : il fallait éviter d'être surpris par la formation soudaine d'une colonne de corvée, s'assurer les quelques minutes suffisantes pour se planquer dans les latrines.

Pour y parvenir, l'un d'entre nous, à tour de rôle, montait la garde à l'extérieur du block 62. L'arrivée d'une troupe de SS ne pouvait pas passer inaperçue. On les voyait de loin se regrouper sur la place d'appel, au sommet du versant de l'Ettersberg sur lequel le camp était construit. Certes, ce n'était pas toujours pour rafler des déportés en vue d'une corvée que les détachements de SS pénétraient dans le camp. Ils entraient aussi pour se livrer à des razzias punitives — de moins en moins fréquentes —, fouiller un baraquement, vérifier qu'il n'y avait pas dans les blocks des tire-au-flanc ou des planqués.

À tout hasard, cependant, le guetteur nous signalait l'apparition des SS et nous courions nous réfugier dans les latrines.

Une fois là, nous étions en sûreté.

La baraque sanitaire était un lieu d'asile, en effet, et jouissait d'un étrange statut d'extraterritorialité. Jamais les SS n'en franchissaient le seuil. Les kapos non plus, si j'en crois mon expérience personnelle.

La seule fois, en tout cas, où j'ai vu un kapo — un politique, d'ailleurs, un « triangle rouge » — se promener dans les allées qui longeaient la fosse d'aisance centrale, les raisons de sa présence dans la baraque étaient particulières.

Ce détenu allemand, qui avait un poste important dans la hiérarchie administrative interne, avait été écarté de toute responsabilité politique clandestine parce que c'était un pédéraste « passionné ».

C'est Seifert lui-même, le kapo de l'*Arbeitsstatistik*, qui avait utilisé cet adjectif, *leidenschaftlich*, un jour où cet homme était venu dans nos bureaux pour une raison de service.

C'est avec une sorte d'étonnement quasi respectueux que Seifert avait qualifié la singularité de cet homme.

J'avais compris que le kapo aimait les garçons d'un amour absolu, radical, qu'il était prêt à tout sacrifier à cette passion. Il lui avait déjà sacrifié son appartenance au Parti communiste, assumant toutes les conséquences qu'un tel sacrifice pouvait entraîner pour lui à Buchenwald.

Le respect de Seifert, cette sorte d'étonnement admiratif que l'on percevait dans sa façon de rapporter cette histoire, avait une cause précise. Ce n'étaient pas les mœurs du kapo que Seifert respectait, bien sûr. Il était difficile de s'attendre à une attitude compréhensive ou tolérante, respectueuse encore moins, à ce sujet, de la part d'un vétéran communiste.

Mais il semblait que Kapo — si j'ai su son nom, je l'ai totalement oublié : Kapo, donc, comme nom propre — avait eu un comportement extrêmement courageux, quelques années auparavant.

Vers 1942, après l'agression nazie contre l'URSS, en tout cas, un certain Wolff, ancien officier de la Wehrmacht, était devenu doyen du camp, *Lagerältester* : le plus haut poste auquel un détenu allemand pouvait avoir accès dans l'administration interne. À ce moment-là, la suprématie des rouges était une nouvelle fois compromise par un retour en grâce des verts, les criminels de droit commun, auprès du commandement SS.

Homosexuel notoire, Wolff était soumis à son jeune amant, un Polonais qui faisait partie d'un clan d'extrême droite, xénophobe et antisémite. Or, dans la bataille que Wolff, ses séides et ses mignons, déclenchèrent contre les rouges pour les chasser de tous les postes d'influence, il semble que K. — pour Kapo : le souvenir de son nom ne me revient décidément pas ! — avait eu un comportement d'un courage insensé, défendant ses amis politiques contre le clan de Wolff, perdant ainsi, par fidélité à ses idées plutôt qu'à ses passions, toute possibilité d'accéder à un poste de pouvoir interne, ou de s'y maintenir.

En tout cas, quel que soit le degré d'exactitude historique de ce récit légendaire de Buchenwald, K. était le seul kapo rouge que j'aie vu se promener un jour dans la baraque des latrines collectives du Petit Camp.

Il marchait le long de la fosse d'aisance, observant tous ces corps à moitié dénudés, ces cuisses, ces culs, ces sexes offerts au regard.

Les latrines n'étaient pas seulement fréquentées par les invalides et les vieillards, Musulmans ou non, inaptes au travail ou rejetés par le système du travail forcé, entassés dans quelques baraquements-mouroirs, dont le block 56 était sans doute le plus emblématique.

On y trouvait aussi les nouveaux arrivants du camp de quarantaine proprement dit, c'est-à-dire les déportés qui venaient d'être arrachés au monde du dehors, à la vie d'avant. Ceux, en somme, dont la fraîcheur physique était encore appréciable. Appétissante, donc, pour quelqu'un qui avait l'appétit des corps masculins.

C'est parmi les plus jeunes, sans doute, que K. cherchait une proie, ou une victime consentante, ou un partenaire. Ce n'était pas impensable : un regard de désir, un échange suggéré, une tendresse offerte ou proposée, un désespoir à partager.

Soudain, nous nous sommes trouvés face à face.

C'était un homme d'une quarantaine d'années, plutôt du bon côté de la quarantaine. Très brun, la peau mate. Ses yeux cernés, son regard dévasté, laissaient deviner le désastre intime d'une quête inassouvie.

Il m'a vu, m'a reconnu. A du moins reconnu en moi quelqu'un qui travaillait à l'*Arbeit,* qu'il avait déjà aperçu aux côtés de Seifert, grand seigneur de la guerre dans la jungle de Buchenwald.

Il y a eu un éclair dans son regard. De surprise, d'abord. De complicité, ensuite : étais-je là pour les mêmes raisons que lui ? Complicité aussitôt entamée, nuancée du moins, par une noire inquiétude : n'allais-je pas lui faire concurrence sur le marché aux gitons ?

Je l'ai rassuré d'un geste. Non, je n'étais pas en chasse, il n'avait rien à craindre de moi.

Les kapos rouges de Buchenwald évitaient le bâtiment des latrines du Petit Camp : cour des miracles, piscine de Bethsaïda, souk d'échanges de toute sorte. Ils détestaient la vapeur pestilentielle de « bain populaire », de « buanderie militaire », l'amas des corps décharnés, couverts d'ulcères, de hardes informes, les yeux exorbités dans les visages gris, ravinés par une souffrance abominable.

— Un jour, me disait Kaminsky, effaré d'apprendre que j'y descendais parfois, le dimanche, en allant voir

Halbwachs au block 56, ou en revenant d'un entretien avec lui, un jour, ils se jetteront sur toi, en s'y mettant nombreux, pour te voler tes chaussures et ton caban de *Prominent* ! Qu'y cherches-tu, bon sang ?

Il n'y avait pas moyen de le lui faire entendre.

J'y cherchais justement ce qui l'effrayait, lui, ce qu'il craignait : le désordre vital, ubuesque, bouleversant et chaleureux, de la mort qui nous était échue en partage, dont le cheminement visible rendait ces épaves fraternelles. C'est nous-mêmes qui mourions d'épuisement et de chiasse dans cette pestilence. C'est là que l'on pouvait faire l'expérience de la mort d'autrui comme horizon personnel : être-avec-pour-la-mort, *Mitsein zum Tode.*

On peut comprendre, cependant, pourquoi les kapos rouges évitaient cette baraque.

C'était le seul endroit de Buchenwald qui échappât à leur pouvoir, que leur stratégie de résistance ne parviendrait jamais à investir. Le spectacle qui s'y donnait, en somme, était celui de leur échec toujours possible. Le spectacle de leur défaite toujours menaçante. Ils savaient bien que leur pouvoir restait fragile, par essence, exposé qu'il était aux caprices et aux volte-face imprévisibles de la politique globale de répression de Berlin.

Et les Musulmans étaient l'incarnation, pitoyable et pathétique, sans doute, mais insupportable, de cette défaite toujours à craindre. Ils montraient de façon éclatante que la victoire des SS n'était pas impossible. Les SS ne prétendaient-ils pas que nous n'étions que de la merde, des moins-que-rien, des sous-hommes ? La vue des Musulmans ne pouvait que les conforter dans cette idée.

Précisément pour cette raison, il était, en revanche, difficile de comprendre pourquoi les SS, eux aussi, évitaient les latrines du Petit Camp, au point d'en avoir fait, involontairement sans doute, un lieu d'asile et de liberté. Pourquoi les SS fuyaient-ils le spectacle qui aurait dû les réjouir et les réconforter, le spectacle de la déchéance de leurs ennemis ?

Aux latrines du Petit Camp de Buchenwald, ils auraient pu jouir du spectacle des sous-hommes dont ils avaient postulé l'existence pour justifier leur arrogance raciale et idéologique. Mais non, ils s'abstenaient d'y venir : paradoxalement, ce lieu de leur victoire possible était un lieu maudit. Comme si les SS — dans ce cas, ç'aurait été un ultime signal, une ultime lueur de leur humanité (indiscutable : une année à Buchenwald m'avait appris concrètement ce que Kant enseigne, que le Mal n'est pas l'inhumain, mais, bien au contraire, une expression radicale de l'humaine liberté) — comme si les SS avaient fermé les yeux devant le spectacle de leur propre victoire, devant l'image insoutenable du monde qu'ils prétendaient établir grâce au Reich millénaire.

— Tu crois que les Américains vont tenir, à Bastogne ? demande Walter soudain.

La nuit précédente, celle de samedi à dimanche, au moment du couvre-feu, j'avais rejoint mon poste à l'*Arbeitsstatistik*, comme prévu. J'avais d'abord transcrit dans le fichier central les mouvements de main-d'œuvre signalés par les différents services. J'avais annoté les fiches des déportés bénéficiant d'une *Schonung*, une exemption de travail pour cause de maladie. Ensuite, j'avais gommé les noms des morts : c'est au crayon qu'étaient tenues à jour les fiches personnelles. C'était plus pratique, ça bougeait beaucoup, en effet. Il fallait sans cesse effacer et réécrire. Pour finir, j'avais également inscrit les noms des arrivants, sur de nouvelles fiches, ou sur celles qui étaient redevenues vierges après l'effacement d'une vie précédente.

Plus tard, j'avais rejoint Walter dans l'arrière-salle de l'*Arbeitsstatistik*. Le vieux Walter, me disais-je. Il ne l'était pas tellement, en réalité. Vieilli avant l'âge, plutôt. Il avait connu les premières années de Buchenwald, inimaginables. Quand le camp n'était pas encore un sana. En 1934, lors de son arrestation, il avait eu la mâchoire fracassée par la Gestapo au cours d'un interrogatoire.

Il en souffrait encore, ne pouvait pratiquement rien mâcher. Tous les jours, il allait chercher au *Revier* une gamelle de soupe spéciale, une sorte de bouillie sucrée.

Walter était l'un des rares vétérans communistes allemands avec qui l'on pouvait parler. L'un des rares à ne pas être devenu fou. Agressivement fou, du moins. J'en profitais, je lui posais des tas de questions sur le passé du camp. Il me répondait. Ma connaissance de ce passé provient, en grande partie, des récits qu'il m'a faits, au long des longues nuits.

Il y avait un seul épisode de leur histoire dont je n'étais pas parvenu à lui faire dire un mot, malgré mon insistance. Il se refusait à parler, en effet, des années 1939 à 1941, la période du pacte germano-soviétique. Il aurait pourtant été passionnant de savoir ce qu'ils avaient pu penser, éprouver, à l'époque, ces communistes allemands enfermés dans un camp par Hitler, l'allié de Staline ! Comment avaient-ils vécu ce déchirement ? En quoi ce pacte, objectivement — pour une fois cet adverbe plutôt sinistre tombait vraiment bien ! —, en quoi, objectivement, le pacte germano-soviétique avait-il eu des conséquences concrètes à Buchenwald ?

Rien, pas un mot : silence obstiné, regard délibérément obtus, comme s'il ne comprenait pas mes questions, comme s'il n'y avait vraiment rien à dire. Comme s'il n'y avait pas eu de pacte d'amitié entre Hitler et Staline, en somme.

Walter travaillait comme moi au fichier central, ça facilitait les conversations. Et nous faisions souvent partie en même temps de l'équipe de nuit.

Il avait réchauffé deux gobelets de la boisson noirâtre que je vais continuer de dénommer « café ».

Dehors, la nuit était calme. La neige luisait, bleutée, sous les faisceaux tournants des projecteurs qui balayaient à intervalles réguliers les rues du camp. Une lueur rouge signalait l'activité du crématoire. Mais la voix rauque, excédée, du *Rapportführer* SS ordonnant qu'on éteignît les fours, *Krematorium ausmachen !,* n'allait sûrement pas se faire entendre. Il n'y avait pas à espérer d'alertes aériennes, cette nuit.

L'aviation alliée aurait fort à faire ailleurs, sur le front des Ardennes.

— Tu crois que les Américains vont tenir, à Bastogne ? demande Walter.

On dirait qu'il a lu dans mes pensées.

Mais ce n'est pas tellement étonnant qu'il lise dans mes pensées : depuis quelques jours, nous ne pensons qu'à ça.

Sous les ordres de von Rundstedt, qui renouvelait ainsi la manœuvre stratégique de l'état-major nazi qui avait été décisive en 1940, les troupes allemandes avaient lancé une contre-offensive sur le front des Ardennes. Elles avaient enfoncé les lignes alliées : l'issue de la bataille dépendait de la résistance des Américains à Bastogne.

Buchenwald bruissait d'inquiètes rumeurs.

Aucun de nous ne pensait que les nazis eussent encore la possibilité de gagner la guerre. Mais le simple fait de réussir à la prolonger, repoussant la perspective d'une victoire alliée, était en soi terrifiant. Si Bastogne ne tenait pas, notre espoir de survie s'amenuisait. Notre capacité à survivre s'étiolait. Qui résisterait, dans ces camps, à quelques mois supplémentaires de famine et d'épuisement ?

Mais Walter ne pose pas vraiment de question. C'est plutôt un vœu, une invocation. J'espère que les Américains vont tenir à Bastogne, voilà le sens de sa question.

Je ne peux que formuler le même vœu que lui.

— Je l'espère, dis-je.

Il s'avérait que la préoccupation de Walter était plus complexe.

— Est-ce que les Américains sont de bons soldats ? poursuit-il, en effet. Ils se sont drôlement fait taper par les Japonais, au début !

— Au début, lui dis-je, les Soviétiques aussi se sont drôlement fait taper !

Il hoche la tête, il en convient.

Mais il n'a visiblement pas apprécié que je le rassure avec un argument pareil.

— Est-ce qu'il ne faut pas être un peu fanatique pour être un bon soldat ? se demande Walter, peu après.

Il me prend au dépourvu, je dois dire. Surtout qu'il n'en reste pas là.

— Sommes-nous de si bons soldats, nous, communistes, parce que nous sommes assez fanatiques ?

Walter a parlé d'une voix à peine perceptible, comme s'il avait peur qu'on l'entende. Mais il n'y a personne d'autre que nous deux dans l'arrière-salle de l'*Arbeit.* Sans doute a-t-il peur d'entendre ce qu'il vient de dire, de s'entendre dire une chose pareille.

Je le regarde, le vieux Walter grisonnant, à la mâchoire fracassée par la Gestapo.

Je me souviens de *L'espoir* d'André Malraux. Quand il est question des communistes, il est banal de penser à ce roman. Surtout si on vient de le relire, comme cela m'était arrivé quelques semaines avant mon arrestation à Joigny.

Je me souviens de Manuel, jeune intellectuel communiste devenu chef de guerre, expliquant qu'il est en train de perdre son âme, de devenir moins humain, à mesure précisément qu'il devient un bon communiste, un bon chef militaire.

Dans *L'espoir*, Manuel vient d'ordonner l'exécution de quelques déserteurs, de jeunes antifascistes, volontaires de la première heure, qui ont fui le combat lors d'une attaque des blindés italiens de l'armée franquiste. Il découvre qu'il lui faudra désormais étouffer parfois des sentiments nobles, la pitié, la compassion, le pardon magnanime des faiblesses d'autrui, pour devenir un vrai chef militaire. Or il faut de vrais chefs militaires, une armée véritable, pour gagner la guerre du peuple contre le fascisme.

Mais ce n'est pas avec Walter que je peux parler de Malraux, de *L'espoir*. Je pourrai en parler avec Kaminsky, qui a combattu dans les Brigades internationales et y a connu certains des modèles du roman de Malraux.

La mémoire de Walter a des références d'une autre époque, d'une autre culture politique, moins ouverte au monde, limitée par les orientations sectaires imposées par le Komintern en Allemagne dans les années trente : classe contre classe.

De toute façon, la question de Walter restera en suspens. Elle était pourtant pertinente, aurait pu nous mener loin : sommes-nous de si bons soldats parce que nous sommes des fanatiques, nous, les communistes ?

Mais la porte de l'arrière-salle s'est ouverte, Meiners fait son entrée. Ce n'est sûrement pas devant lui qu'on va continuer à parler.

« Et vous êtes... ? Henry Sutpen. Et vous êtes ici... ? Depuis quatre ans. Et vous êtes revenu chez vous... ? Pour mourir. Pour mourir... ? Oui. Pour mourir. Et vous êtes ici... ? Depuis quatre ans. Et vous êtes... ? Henry Sutpen. »

J'avais laissé Walter dans l'arrière-salle de l'*Arbeit.* Silencieux, tournant délibérément le dos à Meiners. J'étais revenu à ma table de travail, auprès du fichier central. J'avais l'intention de finir ma lecture du roman de Faulkner *Absalon ! Absalon !*

Je l'avais choisi dans la bibliothèque pour cette semaine de travail de nuit.

Je sais bien que ça va en irriter certains. Ou les surprendre, les inquiéter même : je ne le sais que trop.

Il y a plusieurs années, quand j'avais mentionné que j'avais trouvé à la bibliothèque de Buchenwald la *Logique* de Hegel et que je l'avais lue — dans les mêmes conditions : pendant une semaine d'équipe de nuit, *Nachtschicht*, seule circonstance où la lecture était possible, et exclusivement si l'on travaillait dans un bureau ou un kommando de maintenance ; sur la chaîne de montage de l'usine Gustloff, par exemple, qui pratiquait les trois huit, c'était impensable ! —, j'avais reçu quelques lettres indignées. Ou attristées. Comment osais-je prétendre qu'il y avait une bibliothèque à Buchenwald ? Pourquoi inventer une fable pareille ? Voulais-je faire croire que le camp était une sorte de maison de repos ?

D'autres lecteurs, plus retors, abordaient la question sous un angle différent. Ah bon, il y avait donc une bibliothèque à Buchenwald ? Et vous aviez le temps de lire ? Mais alors, ce n'était pas si terrible que ça ! N'aurait-on pas beaucoup exagéré en décrivant les conditions de vie dans les camps nazis ? Étaient-ce vraiment des camps de la mort ?

Ces lettres ne furent pas très nombreuses, certes. Je ne répondis à aucune d'entre elles, bien entendu. Si ces lecteurs étonnés ou dubitatifs étaient de mauvaise foi, aucun de mes arguments n'aurait pu les convaincre. S'ils étaient de bonne foi, ils arriveraient d'eux-mêmes, par eux-mêmes, à constater l'absolue véracité de mon récit.

Il y avait bien une bibliothèque à Buchenwald. L'évidence documentaire est d'un accès facile. Ainsi, si on a le temps et le goût des voyages, on peut visiter la ville de Weimar. La ville de Goethe, n'est-ce pas ?, charmante. Les traces de sa présence s'y inscrivent partout. Comme s'y inscrivent les souvenirs de Schiller, de Liszt, de Nietzsche, de Gropius, bref, ceux de la plus haute culture européenne. Si le temps est ensoleillé — pourquoi ne pas choisir, pour ce voyage, en effet, la belle saison ? —, on peut aller se promener sur la rive de l'Ilm, aux abords de la ville. Au bout d'un vallon vert, bocager, se dresse la petite maison d'été de Goethe, le *Gartenhaus*. Un banc se trouve là, après le petit pont sur l'Ilm : lieu insensé où s'asseoir. La pensée qui vous y assaillera, sans doute, touchera au plus vif de votre mémoire et de votre âme.

Car la veille — ou le matin même, si vous avez choisi l'après-midi pour la promenade jusqu'au *Gartenhaus* — vous aurez parcouru les quelques kilomètres qui séparent Weimar du camp de concentration de Buchenwald, sur la colline de l'Ettersberg, où Goethe, précisément, aimait tant à se promener avec l'ineffable Eckermann.

Vous aurez visité ce lieu de mémoire, ce site archéologique de l'histoire européenne de l'infamie. Sans doute vous serez-vous longuement arrêté au Musée de Buchenwald. Toutes les explications sur la bibliothèque du camp s'y trouvent. Vous pourrez même contempler l'exemplaire même de la *Logique* de Hegel que j'ai eu entre les mains, le mien.

En revanche, et je le regrette, on n'y trouvera pas le roman de Faulkner que je lisais en décembre 1944, quand cette histoire a commencé : l'exemplaire de la bibliothèque de Buchenwald n'a pas encore été retrouvé.

De toute façon, si vous n'avez ni le temps, ni l'envie, ni

les moyens de faire le voyage de Weimar, il vous suffira d'entrer dans une librairie, d'y demander le livre d'Eugen Kogon, *L'État SS*, publié dans une collection de poche bien connue. L'existence et l'historique de la bibliothèque de Buchenwald s'y trouvent attestés, documentés.

Sous un titre différent *(L'enfer organisé)*, le livre de Kogon a été publié en français dès 1947. Il s'agit d'un témoignage capital à plusieurs titres. Tout d'abord parce que Kogon a occupé un poste clé dans l'administration interne de Buchenwald, qui lui permit d'avoir une vue d'ensemble sur le système concentrationnaire. Il fut, en effet, l'adjoint du médecin-chef SS Dingschuler, responsable du block des expériences médicales. À ce poste, avec habileté, courage et persévérance, Kogon a rendu des services considérables à la résistance antifasciste de Buchenwald.

Eugen Kogon, par ailleurs — et cela rend son témoignage, son enquête, encore plus importants —, n'était pas un militant communiste. Chrétien-démocrate, adversaire résolu de l'idéologie marxiste, il a participé à la résistance antinazie à Buchenwald, au risque de sa vie, aux côtés de ses camarades communistes allemands, mais sans jamais abdiquer son autonomie morale.

Voici comment Eugen Kogon explique, dans son livre, l'origine de la bibliothèque de Buchenwald : « La bibliothèque des détenus fut fondée à Buchenwald dès le début de 1938. Pour fournir les 3 000 premiers volumes, on autorisa les détenus à se faire envoyer des livres de chez eux ; ou bien ils durent verser une somme, avec laquelle la Kommandantur acheta des ouvrages nationaux-socialistes... Sur ses propres fonds, elle offrit 246 livres, dont 60 exemplaires du *Mein Kampf* d'Adolf Hitler et 60 exemplaires du *Mythe du XXe siècle* d'Alfred Rosenberg. Ces derniers ouvrages restèrent toujours en bon état, flambant neufs, inutilisés, sur les rayons de la bibliothèque. Avec les années, le stock de la bibliothèque s'éleva jusqu'à 13 811 livres reliés et 2 000 brochés... Au cours de l'hiver 1942-1943, je me suis constamment proposé comme volontaire, lorsqu'on plaça des gardes de nuit dans le block 42 de Buchenwald, où l'on volait régulièrement du pain dans les armoires ; je restais seul de trois heures à six heures du matin dans la salle de jour, et j'avais ainsi le temps, au milieu de ce calme magnifique, d'examiner les trésors de la bibliothèque du camp. Quelle impression étrange de se trouver assis sous une lampe voilée, seul avec *Le Banquet* de Platon, ou *Le Chant du cygne* de Galsworthy, avec Heine, Klabund ou Mehring... »

Pour ma part, deux ans après, dans le calme de la salle de l'*Arbeitsstatistik*, au pied de la cheminée rougeoyante du crématoire, c'est avec un roman de Faulkner, *Absalon ! Absalon !*, que j'ai passé quelques nuits de décembre, bien heureuses !

J'ai quitté le vieux Walter pour reprendre ma lecture.

Au moment où Meiners a fait irruption, j'étais en train de me demander si je n'allais pas parler à Walter de la note de Berlin me concernant. Son opinion m'intéressait. De surcroît, j'étais sûr de sa discrétion : il n'en parlerait à personne.

Mais Meiners est entré, aucune conversation n'était plus possible.

De haute taille, portant beau, pétant de santé, Meiners avait l'allure de certains acteurs du cinéma allemand des années trente, des personnages des comédies de la UFA. Le genre d'un Hans Albers, par exemple.

Ressemblance accentuée par sa tenue vestimentaire, qui n'avait aucun rapport avec celle des déportés ordinaires, fussent-ils kapos ou *Prominenten.* Il fallait un regard attentif pour distinguer sur sa veste de sport bien coupée, ou sur la jambe droite de son pantalon de flanelle grise, le rectangle bien peu réglementaire de son numéro de matricule. De même pour le triangle d'identification nationale, d'autant moins perceptible sur le tweed gris qu'il n'était pas rouge, couleur tranchante, mais noir.

Meiners était, en effet, ce qu'on appelait un « asocial » dans le jargon administratif nazi.

Interné après plusieurs condamnations pour vol, escroquerie ou abus de confiance, Meiners avait joué un rôle important dans la vie du camp, à l'époque où l'officier SS Karl Koch était le commandant de Buchenwald. Chargé de l'administration de la cantine SS, il voyageait, bien que détenu, à travers toute l'Allemagne pour faire ses achats, organisant du même coup toute sorte de trafics et s'enrichissant — il faisait bénéficier Koch et d'autres officiers SS de ses revenus illicites — grâce à un système de fausses factures et de pots-de-vin.

Mais Karl Koch — dont la femme, Ilse, on peut s'en souvenir, aimait les beaux détenus ; elle les déshabillait d'abord dans son lit, pour jouir d'eux et contempler, le cas échéant, leurs tatouages, qu'elle récupérait, une fois le prisonnier exécuté et la peau convenablement traitée, pour en faire des abat-jour —, Koch, donc, fut victime des luttes intestines qui gangrenaient l'univers des SS *Totenkopf,* spécialement chargés de la surveillance des camps de concentration.

Limogé alors qu'il commandait un camp en Pologne, ramené à Weimar-Buchenwald, jugé à huis clos pour corruption, Koch finit par être fusillé, quelques jours avant la libération du camp par l'armée américaine.

Privé du soutien complice de Koch, Meiners, le « triangle noir », ne fut pas pour autant trop sévèrement sanctionné :

un voyou peut toujours servir. Il fut renvoyé de l'administration de la cantine SS, certes, mais nommé à l'*Arbeitsstatistik*, auprès de Seifert, pour le moucharder, le surveiller, essayer de le contrer.

Il ne faisait pas le poids, Meiners. En face de Seifert, seigneur de la guerre à Buchenwald, il ne faisait vraiment pas le poids. En quelques mois, malgré l'appui extérieur de Schwarz, responsable SS de l'*Arbeitseinsatz*, du Service du travail, autrement dit, Meiners fut réduit par Seifert à un rôle de pâle figuration. Il aurait fallu des hommes plus déterminés, plus courageux, moins fainéants aussi, pour entamer le pouvoir du noyau rouge de l'*Arbeitsstatistik*.

À l'époque où j'y travaillais, délégué par l'organisation communiste espagnole, Meiners n'y avait plus aucune autorité, il était seulement chargé de petits boulots minables. Bien content, sans doute, au fond de lui-même, qu'on lui permît de mener une vie obscure mais douillette de privilégié irresponsable.

Meiners et moi nous nous haïssions.

C'était feutré, il est vrai : aucun éclat de voix dans nos conversations occasionnelles, aucun affrontement public. Mais si l'un de nous avait trouvé le moyen de faire disparaître l'autre, je pense que ni lui ni moi n'aurions hésité une seconde.

Les raisons de mon mépris — de ma haine, car c'était véritablement de la haine : chaleur, fureur, raison de vivre — sont faciles à deviner : Meiners incarnait, sous une apparence de bonhomie banale, tout ce que je détestais. Tout ce que je voulais détruire, les défauts que nous nommions « bourgeois », contre quoi, contre qui, je me battais. D'une certaine façon, c'était presque une chance — un heureux confort, en tout cas — d'avoir sous la main, sous les yeux, une si parfaite incarnation de l'ennemi.

Bien sûr, je n'oubliais pas que les SS étaient, vu les circonstances, notre ennemi principal. Mais, d'un autre côté, pensais-je, ils n'étaient que la garde prétorienne d'une société d'exploitation en crise. Battre les SS sans changer cette société me semblait un peu court. J'étais d'accord, en somme, avec le mot d'ordre de certains mouvements clandestins de la France occupée, « De la Résistance à la Révolution ».

Meiners vient d'entrer dans l'arrière-salle de l'*Arbeit.* Nous cessons immédiatement de parler, Walter et moi.

Il n'en a cure. Il est habitué aux bulles de silence qui se forment autour de lui, à l'*Arbeit.* Il sait bien qu'il ne peut pas espérer beaucoup de chaleur attentive de notre petite communauté militante et cosmopolite.

Il sifflote l'air d'une chanson d'amour de Zarah Leander, l'une de celles que le *Rapportführer* SS de service le dimanche fait passer régulièrement, ce jour-là, sur le circuit des haut-parleurs du camp.

Je préfère la voix mordorée de Zarah Leander à l'aigre sifflotis de Meiners, bien évidemment.

Celui-ci vient d'ouvrir son placard personnel, il va sans doute se préparer un petit casse-croûte.

Au bout de la table à laquelle nous sommes assis, Walter et moi, il installe son couvert : petite nappe, assiette en faïence, couteau et fourchette en argent. Il dispose tout autour des morceaux de pain blanc, de la charcuterie, une boîte de pâté...

Il se sert une grande chope de bière.

Soudain, au moment où il commence à étaler une couche épaisse de son pâté sur une tranche de pain blanc préalablement tartinée de margarine, Meiners lève la tête et me fixe, l'œil noir, exorbité.

Il doit se souvenir, ça le met mal à l'aise.

Quelques semaines auparavant, la nuit également, nous étions déjà face à face, dans l'arrière-salle de l'*Arbeit.* Seuls, cette fois-là, en tête à tête. La même cérémonie se déroulait : petite nappe brodée disposée sur la table rugueuse, couvert raffiné, étalage de victuailles appétissantes.

Je buvais, pour ma part, un gobelet de café. J'avais fini de déguster des épluchures de pommes de terre grillées. Je l'observais, une envie de lui gâcher son repas m'a saisi. « Tu auras bientôt fini de bouffer de la merde devant moi ?, me suis-je exclamé. Il pue, ton pâté ! » Déconcerté, il a mis le nez dans sa boîte de pâté, pour en humer les senteurs. « De la merde ! ai-je insisté. Avec quoi il est fait, ton pâté ? Avec de la viande de crématoire ? » Ainsi de suite. Bref, Meiners a fini par en avoir un haut-le-cœur, il n'a pas pu terminer son repas, il a fui l'arrière-salle de l'*Arbeit.*

De cette nuit-là date la haine qu'il me voue.

Il haïssait en moi l'étranger, le communiste, le futur vainqueur. Il me haïssait d'autant plus qu'il n'avait pas la possibilité de me mépriser parce que j'aurais ignoré la langue allemande. Je la parlais mieux que lui. Mon vocabulaire était plus riche que le sien, en tout cas. D'ailleurs, pour l'emmerder, il m'arrivait de réciter à haute voix des poèmes dont il n'avait pas la moindre connaissance. Ces fois-là, sa haine tournait au rouge vif.

Meiners me regarde, se souvient sans doute. Il éclate.

Pourquoi je le dévisage comme ça, avec cet air dégoûté ? Son pâté est excellent, crie-t-il, son pâté vient de la cantine SS, c'est du pâté de porc, pur porc. Pour un peu il crierait que son pâté est *judenrein,* non contaminé par la juiverie. Pour un peu il nous dirait que son pâté est cent pour cent aryen, qu'il exprime l'ancestrale beauté de la race germanique. Qui suis-je pour oser critiquer son pâté aryen ?

Il hurle, pendant qu'il remballe tous les ingrédients de son casse-croûte.

— Je reviendrai, proclame-t-il, quand il n'y aura ici que des *Reichsdeutsche !*

Je lui fais remarquer qu'il est difficile, pour ne pas dire impossible, à Buchenwald, de ne pas être mêlé à des étrangers. On y est toujours l'étranger de quelqu'un. Il n'y a qu'un endroit où être uniquement entouré de *Reichsdeutsche,* d'Allemands du Reich, c'est le bordel. Il faut aller au bordel, lui dis-je, pour rester entre vous.

Walter éclate de rire, Meiners claque violemment la porte métallique de son placard personnel.

J'étais tombé par hasard sur *Absalon ! Absalon !* dans le catalogue ronéoté de la bibliothèque du camp. Par hasard, en feuilletant les pages de la brochure.

Je passais plusieurs fois par jour devant la porte de la bibliothèque. Celle-ci était installée, en effet, dans la même baraque que le *Schreibstube*, le secrétariat, et l'*Arbeitsstatistik*. Entre les deux bureaux, au milieu de la baraque. Qui était située sur la première rangée de bâtiments à l'orée de la place d'appel, tout à côté du crématoire entouré d'une haute palissade.

En prévision d'une prochaine semaine de travail de nuit, j'avais consulté le catalogue. Et j'étais tombé sur Faulkner par hasard, en feuilletant les pages de la brochure. Je ne sais plus ce que j'y cherchais, rien de précis, sans doute. Je feuilletais, c'est tout. À la lettre H, étaient répertoriés des quantités d'exemplaires de *Mein Kampf*, d'Adolf Hitler.

Rien d'étonnant à cela : quand le camp de Weimar-Buchenwald avait été créé, en 1937, les chefs nazis avaient prétendu en faire un modèle de camp de rééducation. À cette fin, aux fins de l'*Umschulung* des militants et des cadres antifascistes, internés sur la colline de l'Ettersberg, une collection de livres nazis fut installée dans la bibliothèque du camp.

Mais l'objectif de rééducation des adversaires politiques du régime nazi fut bientôt abandonné. Le camp devint ce qu'il ne cessa d'être : un camp punitif, d'extermination par le travail forcé. Extermination indirecte, si l'on veut, dans la mesure où il n'y avait pas de chambre à gaz à Buchenwald. Pas de sélection systématique, donc, des plus jeunes, des plus faibles, des plus démunis, pour une mort immédiate. La main-d'œuvre déportée, corvéable à merci, affamée, bastonnée, se trouvait pourtant, dans sa majorité, intégrée dans un système de production d'armement dont le résultat ne pouvait pas être égal à zéro. Une main-d'œuvre, donc, qui ne pouvait pas être tout simplement exterminée, surtout à partir du moment où, l'espace de l'empire nazi en Europe rétrécissant comme une peau de chagrin, elle n'était plus renouvelable à volonté.

Ainsi donc, *Absalom, Absalom !* de William Faulkner.

En allemand, bien sûr. Avec un *m* à la fin du prénom biblique, comme en anglais d'ailleurs. La traduction, de Hermann Stresau, avait paru chez Rowohlt en 1938. Au mois de mars de cette année-là, pour être tout à fait précis, dans un tirage de quatre mille exemplaires.

Ce n'est pas à Buchenwald que j'avais appris, encore moins retenu, tous ces détails. J'avais lu le roman, pendant une semaine de travail de nuit, en décembre 1944. Au loin se déroulait la bataille des Ardennes, dont l'issue ne pouvait nous être indifférente. Mais je n'avais retenu ni le nom du traducteur, ni le nombre d'exemplaires du tirage de 1938, l'année de la capitulation de Munich et de la Nuit de Cristal, qui en fut l'une des conséquences.

J'avais retenu des passages entiers du roman, des phrases que je me répétais comme des incantations. En allemand, bien sûr. C'est en allemand que j'ai lu pour la première fois *Absalom, Absalom !*

« Und Sie sind — ? Henry Sutpen. Und Sie sind hier — ? Vier Jahre. Und Sie kehrten zurück — ? Um zu sterben. Ja. Zu sterben — ? Ja. Zu sterben. Und Sie sind hier — ? Vier Jahre. Und Sie sind — ? Henry Sutpen. »

Oui, ce jour de décembre, ce dimanche, pendant que Kaminsky cherchait un mort convenable, dont j'aurais pu prendre la place, c'est-à-dire, un mort qui aurait continué à vivre sous son propre nom, mais en habitant mon corps, mon âme aussi, peut-être, pendant que Kaminsky semblait avoir trouvé le mort qu'il me fallait pour continuer à vivre, au cas où la note de Berlin fût vraiment inquiétante — et j'avais de la chance, une fois de plus, c'était inouï, un garçon de mon âge, à quelques semaines près, étudiant, de surcroît, et parisien ! une chance inouïe, non ? —, pendant que Kaminsky exultait d'avoir trouvé le mort qu'il fallait, croyait-il, qui n'était qu'un mourant, d'ailleurs, cela me tracassait, pendant ce temps je me récitais les phrases incantatoires de la fin du roman de Faulkner, lorsque Rosa Coldfield et Quentin Compson découvrent Henry Sutpen, caché dans la maison familiale où il est revenu pour mourir.

Deux ans auparavant — toute une vie : plusieurs morts auparavant — une jeune fille m'avait donné à lire un roman de William Faulkner, *Sartoris*.

Ma vie en avait été changée. Je veux dire, ma vie rêvée, encore bien improbable, d'écrivain.

Une très jeune femme m'avait fait découvrir William Faulkner.

C'était dans le Paris austère et fraternel de l'Occupation, dans un café de Saint-Germain-des-Prés. Il m'est déjà arrivé d'évoquer le fantôme de cette jeune femme aux yeux bleus… (Soudain, je regrette de ne pouvoir ici changer de langue, pour parler d'elle en espagnol : ce serait tellement mieux de pouvoir l'évoquer en espagnol, ou de mêler au moins les deux langues, sans pour autant dérouter le lecteur !

Car on a le droit de faire sursauter un lecteur, de le prendre à rebrousse-poil, de le provoquer à réfléchir ou à réagir au plus profond de lui-même ; on peut aussi le laisser de glace, bien sûr, lui passer à côté, le manquer ou lui manquer. Mais il ne faut jamais le dérouter, on n'en a pas le droit ; il ne faut jamais, en effet, qu'il ne sache plus où il en est, sur quelle route, même s'il ignore où cette route le conduit.

Il me faudrait des lecteurs bilingues, quoi qu'il en soit, qui pourraient passer d'une langue à l'autre, du français à l'espagnol, vice versa, non seulement sans effort, mais encore avec joie, dans la jouissance des lieux et des jeux de la langue !

Bref, si je pouvais évoquer en espagnol le souvenir de cette jeune femme, je dirais qu'elle « avait du fantôme », que *tenía duende*, qu'elle « avait de l'ange », *tenía ángel*. Quelle autre langue connaissez-vous où, pour parler du charme d'une femme, on dise qu'elle a de l'ange ou du fantôme ?) Ailleurs, dans d'autres récits, j'ai parfois donné à cette jeune femme son vrai prénom, parfois je l'ai masquée sous des prénoms romanesques : tout était valable, tout était bon, sincérité, ruse narrative, prétexte ou caprice d'écriture, pourvu qu'elle apparût entre les lignes de la mémoire, dans le battement du sang bouleversé.

Mais ce n'est pas à Buchenwald, bien sûr, que j'ai retenu le nom du traducteur d'*Absalom, Absalom !*, Hermann Stresau, ni remarqué que le premier tirage de la traduction allemande de mars 1938 avait été de quatre mille exemplaires.

C'est à Munich, chez Hans Magnus Enzensberger, que j'avais appris ces détails. Plus de cinquante ans après, en 1999, à la fin d'un siècle rempli de bruit et de fureur, mais aussi de roses et de vin.

J'étais à Munich pour un colloque, une conférence ou quelque chose d'analogue. En tout cas, il faisait beau : mai ou juin, probablement. J'avais déjeuné avec Hans Magnus, ce jour-là. À l'heure du café, nous étions chez lui. Dans son lieu de travail, plutôt : un appartement lumineux, aux espaces nets, rempli de livres, orné de quelques rares objets précieux. Assez rares, très précieux. Dont deux ou trois petits tableaux flamands de haute époque, mystérieusement rayonnants de bleu Patinir.

Le soir, j'avais une *Lesung*, une lecture, habitude allemande étrange et gratifiante. Des gens paient leur place, remplissent un théâtre, pour écouter un écrivain lire des extraits de son œuvre. Je lisais en allemand, bien sûr, nul besoin de traducteur.

Pour ce soir-là, j'avais préparé une sorte de collage ou de montage, avec des morceaux de mes trois récits sur l'expérience de Buchenwald reliés entre eux par le travail, interminable, tonique, désolant, de l'anamnèse.

En furetant dans les rayonnages, j'ai découvert soudain les volumes cartonnés, de couleur jaune, des œuvres de Faulkner, publiées chez Rowohlt.

Je jette toujours un coup d'œil sur les bibliothèques des gens chez qui je suis invité. Il semble que je suis parfois trop cavalier, trop insistant ou inquisiteur, on m'en a fait le reproche. Mais les bibliothèques sont passionnantes, parce que révélatrices. L'absence de bibliothèque aussi, l'absence de livres dans un lieu de vie, qui en devient mortel.

Je regardais, en tout cas, la bibliothèque d'Enzensberger, fort bien rangée, d'ailleurs. Par domaines thématiques, par ordre alphabétique à l'intérieur de chaque domaine.

Les romans de William Faulkner, soudain. J'ai pris le volume d'*Absalom, Absalom !*, le cœur battant.

Tout en feuilletant le livre à la recherche des phrases de la fin, incantatoires, qui m'étaient restées en mémoire, un demi-siècle auparavant, une nuit de décembre à Buchenwald (*« Und Sie sind ? Henry Sutpen. Und Sie sind hier ? Vier Jahre. Und Sie kehrten zurück ? Um zu sterben. Ja »*), tout en recherchant ces phrases, je racontais à Hans Magnus l'histoire de ce roman de Faulkner que j'avais lu à Buchenwald un si lointain hiver.

Alors, après avoir vérifié que c'est bien cette traduction-là que j'avais eue entre les mains, celle de 1938, de Hermann Stresau — il n'y en avait pas d'autre —, après avoir remarqué qu'une deuxième édition de quatre mille exemplaires avait paru en 1948, et une troisième d'un tirage identique en 1958, douze mille en tout, donc, alors, Hans Magnus Enzensberger m'a offert en cadeau son exemplaire d'*Absalom, Absalom !*

Je le garde à portée de la main, à tout hasard.

En souvenir d'Enzensberger et de nos souvenirs communs. Plus de trois décennies de souvenirs communs, depuis Cuba, en 1968, lorsque nous avons assisté ensemble à l'instauration par Fidel Castro du parti communiste de type léniniste dont il avait besoin pour transformer une révolution démocratique — qui s'était fort bien passée de ce type de parti pour triompher du dictateur Batista — en système de socialisme réel.

En souvenir de la lecture de Faulkner, jadis, à Buchenwald, ces nuits de décembre 1944 où les soldats américains n'avaient pas cédé un pouce de terrain, à Bastogne, bien qu'ils ne fussent pas des fanatiques.

— À six heures au *Revier* ! avait dit Kaminsky.

Nous y étions presque : cinq heures et quart. La nuit tombait, les lampadaires étaient allumés. La neige miroitait sous le faisceau intermittent des projecteurs qui commençaient à explorer le territoire du camp.

Je vais bientôt savoir quel mort va m'habiter, le cas échéant, pour me sauver la vie.

Kaminsky avait ajouté, sarcastique : « D'ici là, fais comme d'habitude le dimanche, amuse-toi avec ton professeur et tes Musulmans ! »

Conseil superflu. J'allais en effet rendre visite à Maurice Halbwachs et essayer, une nouvelle fois, de retrouver mon jeune Musulman français dans la baraque des latrines collectives.

Avant, j'étais revenu au block 40, j'y avais rendez-vous avec des compatriotes.

Voilà un mot qui était, ces dernières années, dans mon parler habituel, tombé en désuétude. Compatriotes ? De quelle patrie, seigneur ? Depuis plus de quatre ans, depuis qu'en 1939, sur le boulevard Saint-Michel, à Paris, j'avais décidé que plus jamais personne ne m'identifierait comme étranger en raison de mon accent, depuis que j'y étais parvenu, ma langue maternelle, mes références aux lieux d'origine — à l'enfance, en somme, radicalement originaire — s'étaient estompées, prises dans le maelström du refoulement et du non-dit.

Parfois, mais sans doute était-ce pour me rassurer, ou rassurer ceux à qui je m'adressais et, du même coup, m'épargner de trop longues explications oiseuses, je disais que la langue française était la seule chose qui ressemblât à une patrie, pour moi. Ce n'était donc pas la loi du sol, ni la loi du sang, mais la loi du désir qui s'avérait dans mon cas décisive. Je désirais vraiment posséder cette langue, succomber à ses charmes mais aussi lui faire subir les derniers outrages, la violenter. La langue de Gide et de Giraudoux, de Baudelaire et de Rimbaud, mais aussi, surtout, peut-être, au tréfonds, celle de Racine : perfection absolue de l'équilibre entre maîtrise transparente et violence masquée.

Certes, je n'avais pas pour autant oublié l'espagnol. Il était là, présent-absent, dans une sorte de coma, d'existence virtuelle, privé de valeur d'usage et d'échange.

Pourtant, en cas de besoin vital, je pourrais y recourir, me semblait-il.

Un seul fil, intime et mystérieux, reliait encore la langue de mon enfance à ma vie réelle, le fil de la poésie. Si j'avais été croyant, le fil de la prière se serait également maintenu, sans doute. Il aurait été inconcevable que je dise le *Notre père* en français, par exemple. Mais je n'étais pas croyant. Affaire classée, donc.

Le fil de la poésie, et, j'y pense, celui des chiffres et des comptes. Affaire d'enfance aussi, comme les comptines. Il m'était toujours nécessaire de redire, fût-ce à voix basse, les chiffres en espagnol pour pouvoir les retenir, les mémoriser. Numéros de rue ou de téléphone, dates de rendez-vous ou d'anniversaire : c'est en espagnol que je devais me les redire pour les graver dans ma mémoire.

L'espagnol aura ainsi toujours été la langue de ma vie clandestine.

Mais c'est surtout la poésie qui a maintenu vivant en moi, à l'arrière-plan, à un niveau profond de grâce et de gratuité absolues, mon rapport avec ma langue maternelle. Pendant les premières années d'exil et d'occupation, j'avais même enrichi ma connaissance, mon usage intime de la poésie espagnole. Avec Luis Cernuda, César Vallejo, par exemple, des poètes que j'ignorais jusqu'alors, ou que je connaissais mal, plutôt par ouï-dire que par ouï-vivre.

À Buchenwald, soudain, la situation s'est radicalement modifiée.

Je vivais de nouveau dans une communauté de langue espagnole, dans la diversité des accents, des musiques, des lexiques des différentes régions de l'Espagne et de l'espagnol. Je retrouvais les mots anciens pour dire le froid, la faim, la finitude. Pour dire la fraternité, l'espoir, la gratitude.

Ainsi, à Buchenwald, dans le lieu du plus lointain exil, aux frontières mêmes du néant — *östlich des Vergessens*, dirais-je en allemand, « à l'est de l'oubli », démarquant ainsi le thème d'un poème célèbre de Paul Celan —, au fin fond du déracinement, en quelque sorte, je retrouvais mes repères et mes racines, d'autant plus vivaces que tout était tourné vers l'avenir : les mots de l'enfance n'étaient pas seulement retrouvailles d'une identité perdue, oblitérée, du moins, par la vie de l'exil, qui, d'un autre côté, l'enrichissait, ils étaient aussi ouverture à un projet, engagement dans l'aventure de l'avenir.

C'est à Buchenwald, en tout cas, parmi les communistes espagnols de Buchenwald, que s'est forgée cette idée de moi-même qui m'a conduit, plus tard, à la clandestinité antifranquiste.

Compatriotes, donc, les Espagnols avec qui j'avais rendez-vous. Lié à eux, de nouveau par un sentiment très fort d'appartenance.

¡ Ay que la muerte me espera
antes de llegar a Córdoba !
Córdoba
lejana y sola.

Je reconnais la voix de Sebastián Manglano, mon copain de châlit.

Il est important, peut-être même vital, de pouvoir partager avec un vrai copain l'espace de la litière, prévu à l'origine, chichement de surcroît, pour un seul déporté.

Aunque sepa los caminos
yo nunca llegaré a Córdoba...

Dans le réfectoire de l'aile gauche, la Flügel C, à l'étage du bâtiment en ciment du block 40, se déroulait quand j'y suis arrivé une répétition du spectacle que nous préparions. Spectacle andalou, je n'ose pas dire flamenco, car il n'y avait pas de véritable pratiquant du chant profond parmi nous. Les comédiens improvisés essayaient de mémoriser leurs textes.

La voix de Sebastián est bien timbrée, grave et claire. Certes, sa récitation n'est pas parfaite. Ainsi, il ne parvient pas à tirer tout le parti possible de la musicalité assourdie, lancinante, de la voyelle *a* réitérée dans le texte poétique. Mais il ne faut pas trop lui en demander : il est métallo, pas comédien professionnel. Il a fait partie, cependant, tout jeune combattant du 5e corps de l'armée républicaine, sur le front de l'Èbre, d'une troupe de théâtre d'agit-prop.

En tout cas, en récitant les vers de Lorca, Manglano réussit à éviter la grandiloquence castillane, si naturelle à cette langue impérieuse, impériale, d'une rotondité sonore triomphale, qu'il faut savoir moduler, maîtriser. Il m'arrive de penser que, abandonné à lui-même, aux tropismes de sa rhétorique consubstantielle, le castillan se prend pour l'idiome du Dieu de toutes les croisades !

Mais Sebastián Manglano récite Lorca avec naturel, sans emphase. *« ¡ Ay que la muerte me espera, antes de llegar a Córdoba ! »* On pourrait faire un sort à cette plainte désolée, en faire tout un plat. Mais mon copain de châlit parle d'un ton simple et direct. « Hélas, avant d'arriver à Cordoue, la mort m'aura attendu au tournant », quelque chose comme ça !

Je peux être satisfait, en tout cas. Nos comédiens improvisés ont appris par cœur leurs textes et leurs couplets.

Parmi les tâches que m'avait confiées l'organisation clandestine du PC espagnol à Buchenwald, il y avait celle qu'on pourrait qualifier d'un terme d'aujourd'hui, assez bête, peut-être même ridicule, animateur culturel.

Une tâche qui n'était pas vraiment facile à réaliser. Il était pratiquement impossible d'organiser des conférences, des causeries, certains soirs, entre la fin de l'appel et le couvre-feu. Ou le dimanche après-midi. Nous n'avions ni causeurs ni conférenciers possibles.

La communauté espagnole de Buchenwald, en effet, peu nombreuse par ailleurs, était un reflet ajusté de la composition sociale de l'exil rouge en France : très peu d'intellectuels et de professions libérales, une immense majorité de prolos.

Je ne m'en plaignais pas du tout, qu'on m'entende bien. Dans les diverses clandestinités de ma longue vie clandestine, j'ai toujours apprécié la fréquentation des prolos, des militants ouvriers. Je crois pouvoir dire, sans illusion rétrospective ni forfanterie, que les militants ouvriers, eux aussi, m'ont apprécié.

De cette catégorie de militants, que j'aurai fréquentés avec intérêt, avec profit — en y apprenant, dans cette fréquentation, les richesses et les mystères de la fraternité —, j'exclus les dirigeants du PCE. L'écrasante majorité d'entre eux, du moins, à quelques rares exceptions près. Non pas qu'ils ne fussent pas d'origine ouvrière. Ils l'étaient, et comment ! Ils en tiraient vanité vaine, droit de cuissage idéologique et prétention à l'infaillibilité. L'appartenance originaire à la classe avait chez eux dégénéré en ouvriérisme, en sentiment de supériorité ontologique sur les intellectuels militants. Pour ne rien dire des simples mortels.

Quoi qu'il en soit, il n'y avait pas d'intellectuels dans l'organisation communiste espagnole de Buchenwald. Impossible, donc, d'organiser conférences ou causeries.

Il ne me restait que la poésie.

Alors, je passais de longues heures nocturnes — ou diurnes, à l'*Arbeitsstatistik*, quand il n'y avait pas trop de travail — à transcrire les poèmes espagnols dont je me souvenais. J'avais à l'époque une excellente mémoire, je pouvais réciter des centaines de vers de toute sorte, des poètes les plus divers, des sonnets de Garcilaso ou de Quevedo, mais surtout des vers de Lorca, d'Alberti, de Machado, de Miguel Hernandez. Et j'en passe.

C'est autour de ces textes poétiques reconstitués, reproduits, lus en commun, appris par cœur par les plus doués, que nous avions monté deux ou trois spectacles.

Le prochain serait andalou. Je n'ose pas dire flamenco, je le répète, les puristes m'en tiendraient rigueur.

Cependant, même s'il était impossible d'y insérer du *cante hondo*, nous parvenions, grâce aux textes de Lorca, à certaines chansons populaires retrouvées dans la mémoire de l'un ou de l'autre, à faire sentir la désespérance andalouse, la crainte inspirée par la Garde civile dans les communautés de Gitans et de paysans sans terre.

¡ Oh pena de los gitanos !
Pena limpia y siempre sola.
¡ Oh pena de cauce oculto
y madrugada remota !

Voilà : j'étais revenu dans le pays, le paysage, la parole de mon enfance.

— Fais comme d'habitude le dimanche, avait dit Kaminsky, sarcastique, amuse-toi avec ton professeur et tes Musulmans !

Je venais de quitter le block 56 où croupissait Maurice Halbwachs.

Ce jour-là, pour ma visite hebdomadaire, j'avais prévu de l'intéresser, de le distraire, du moins, de la lente progression putride de sa propre mort, en lui rappelant son essai *Les cadres sociaux de la mémoire*, que j'avais lu deux ans auparavant, lorsque je suivais ses cours à la Sorbonne.

Cette idée m'était venue le matin, au moment où Kaminsky et Nieto avaient interrompu mon rêve — n'était-ce pas le contraire, plutôt ? n'étaient-ce pas les coups de poing redoublés de Kaminsky sur le montant de la litière qui avaient fait cristalliser des images-souvenirs éparses, disparates, en un rêve cohérent, autour des bruits de marteau sur un cercueil (et je savais que c'était le cercueil de ma mère que l'on clouait, même si, simultanément, ma propre voix intérieure me disait dans le rêve que c'était impossible, que le cercueil de ma mère n'avait pas été fermé devant moi, cloué sous mes yeux ; impossible, de surcroît, qu'il l'eût été dans le paysage océanique qui m'entourait au cours de ce rêve déclenché par les coups de poing de Kaminsky, mais, bien sûr, cloué hors de ma vue dans l'appartement familial de la rue Alfonso XI, à Madrid), n'étaient-ce pas plutôt les coups de poing de Kaminsky sur le montant de la litière qui avaient, à la fois, fait naître et interrompu un rêve auquel ils donnaient une forme dont je pourrais me souvenir ?

En tout cas, avant même que Kaminsky ne me demande de m'habiller (ils avaient à me parler), j'avais eu le temps de penser que j'interrogerais Halbwachs, plus tard. Tout le début de son livre porte sur ce genre de questions : le rêve, les images-souvenirs, le langage et la mémoire.

Mais ce jour-là Maurice Halbwachs n'était pas capable de réagir à mes questions, de participer à une conversation. Nous étions à la fin du mois de décembre 1944, il ne mourrait que des semaines plus tard, à la mi-mars 1945, mais il avait déjà sombré dans une immobilité somnolente, ataraxique.

Il ne s'en éveilla que deux fois, fugacement.

La première, quand il prit conscience de ma présence auprès de lui, debout contre le châlit où il sommeillait à côté d'Henri Maspero. Il battit des paupières, alors, un semblant de sourire glissa sur son visage cireux. « Potlatch ! » s'écria-t-il faiblement. C'était un mot de passe, un cri de ralliement, un défi à la mort, à l'oubli, à l'évanescence du monde. La première fois que je l'avais vu à Buchenwald, à l'automne, je lui avais rappelé son cours sur le potlatch.

Et ça l'avait beaucoup amusé d'évoquer la Sorbonne, l'année 1942, ses leçons sur l'économie du potlatch.

Aujourd'hui, moribond, en m'accueillant avec le mot « potlatch », quasiment inaudible mais crié sans doute de toutes ses forces, il voulait non seulement montrer qu'il m'avait reconnu, mais rappeler aussi, d'un seul mot, toute sa vie d'avant, le monde du dehors, la réalité de son métier de sociologue.

Un peu plus tard, alors que nous parlions autour de lui, qui, les yeux fermés, semblait sur le point de s'évader de son corps misérable, Halbwachs avait soudain fixé nos visages, cherchant probablement ceux qui lui étaient connus, pour poser une question décisive.

— Bastogne ? avait-il demandé.

Prenant la parole en même temps, dans une sorte de chœur désaccordé mais fraternel, nous lui avions dit que les Américains tenaient, à Bastogne, sans céder un pouce de terrain.

« Potlatch » et « Bastogne » : deux mots avaient suffi, lancés à la cantonade, pour que Halbwachs affirmât, contre la mort qui le dévorait, contre le néant qui l'investissait déjà, son appartenance à la vie et au monde.

— À six heures au *Revier* ! avait dit Kaminsky.

Plus qu'une demi-heure à attendre.

Je venais de quitter le block 56 avec Lenoir et Otto, qui faisaient partie depuis quelques semaines du cercle dominical, autour de Maurice Halbwachs. Le bruit avait couru, en effet, je ne sais comment, parmi les intellectuels de Buchenwald : le dimanche, au block 56, il y a un cercle, autour d'un professeur de la Sorbonne, ça discute. On voyait arriver sans cesse des visages nouveaux.

Ce dimanche-là, en tout cas, mon dernier dimanche,

peut-être, sous mon vrai nom, j'y avais retrouvé Lenoir. Ou Lebrun ? Ce n'était pas son vrai nom, de toute façon. C'était un Juif autrichien qui ne s'appelait ni Lenoir ni Lebrun. Qui s'appelait Kirschner, Félix Kirschner, si je me souviens bien. Félix, en tout cas, j'en suis certain. Le reste est moins sûr. Arrêté en France avec de faux papiers au nom de Lenoir ou Lebrun — l'un ou l'autre, assurément : ce n'était pas Leblanc, ni Leroux, ni Legris ; sa couleur onomastique était bien le noir ou le brun —, c'est sous ce nom que la Gestapo l'avait déporté, ne soupçonnant pas que ce patronyme français banal cachait un Juif viennois.

Quoi qu'il en soit, Lenoir ou Lebrun — je suis incapable de trancher — apparut à l'*Arbeitsstatistik* à l'automne 1944.

Je n'ai jamais su s'il avait été recruté par la voie politique. Si tel était le cas, j'ai ignoré quel Parti communiste il représentait : le Parti français ou l'autrichien ? Mais peut-être avait-il tout simplement été recruté selon des critères de qualification professionnelle, car il parlait à peu près toutes les langues européennes. Toutes celles, du moins, des pays ayant fourni leur contingent de déportés à l'empire SS.

En tout cas, Lenoir — pile ou face : j'ai opté pour Lenoir ! — était un homme disert et cultivé. Il semblait prendre un plaisir extrême à la conversation, quel que fût le sujet abordé et il pouvait en aborder de toute sorte.

Pour ma part, j'avais beaucoup de questions à lui poser, quand nous nous retrouvions à la pause de midi, ou le soir, pendant l'appel.

Quelques années auparavant, en effet, rue Blaise-Desgoffe, chez Edouard-Auguste F. (n'ai-je pas déjà parlé quelque part de ce personnage, de sa magnifique bibliothèque ?), j'avais lu *Der Mann ohne Eigenschaften*, de Robert

Musil. De surcroît, depuis 1934, année où les milices ouvrières avaient été écrasées dans les deux pays par des gouvernements réactionnaires de la droite catholique, qui faisaient ainsi le lit du fascisme, un destin historique comparable, plutôt sombre, semblait s'acharner sur l'Autriche et l'Espagne.

J'étais donc curieux d'entendre cet universitaire viennois, citoyen d'une république fragilisée par l'héritage pervers de l'ancienne Kakanie de Musil, puis rayée de la carte par Hitler, non seulement sans coup férir mais encore dans l'enthousiasme masochiste d'une grande partie des Autrichiens, en 1938, l'année de toutes les défaites.

Il apparut, dès notre première conversation, que je ne perdrais pas mon temps en l'entendant me parler de son pays.

Il fut question, en effet, d'une conférence d'Edmund Husserl — rien de moins ! — à laquelle il avait assisté (lui, Lenoir, c'est-à-dire Kirschner, mais un doute me vient, n'était-ce pas plutôt Kreischler ?) et dont il me résuma le contenu.

En 1935 — la conférence eut lieu en mai — Edmund Husserl avait déjà été chassé de l'Université allemande, soulignait Lenoir, parce que juif, et Martin Heidegger avait déjà retiré la dédicace de la première édition de *Sein und Zeit.* Dédicace de 1926 qui ne devait plus paraître opportune, ni convenable, à Heidegger, après 1933, surtout qu'elle exprimait des sentiments aussi suspects que la « vénération » *(Verehrung)* et l'« amitié » *(Freundschaft)* qu'un Juif comme Husserl ne pouvait en aucun cas mériter publiquement !

On peut encore lire avec profit, soixante-cinq ans plus tard, à notre époque de construction européenne, le texte de la conférence de Husserl, que ce dernier — Lenoir croyait s'en souvenir — avait également prononcée à Prague, quelques mois après Vienne.

Ce que Lenoir ne pouvait pas me dire, parce qu'il l'ignorait, ou ne l'avait pas retenu, s'il l'avait su au moment même, c'est que le jeune philosophe qui avait organisé la venue d'Edmund Husserl à Prague s'appelait Jan Patočka.

Beaucoup plus tard, plusieurs décennies plus tard, devenu le porte-parole de la Charte 77, Jan Patočka mourrait à Prague d'un arrêt cardiaque, après un interrogatoire de la police du régime communiste. Interrogatoire sans doute trop musclé, trop poussé, trop brutal. Le jour de l'enterrement de ce grand philosophe, scandaleusement méconnu en France, la police politique tchèque ordonnerait la fermeture de toutes les boutiques de fleuristes de Prague, pour éviter l'afflux de bouquets portés sur la tombe de Patočka par les mains fidèles des femmes et des hommes libres.

Mais Lenoir ne pouvait pas me parler de Jan Patočka, à Buchenwald, en 1944.

En revanche, moi, je pouvais lui dire que c'était grâce à Husserl — partiellement, du moins, je ne peux pas me dénier quelque mérite personnel — que j'avais obtenu un deuxième prix de philosophie au Concours général de 1941.

Grâce à Husserl et à Emmanuel Levinas, qui me l'avait fait découvrir.

Pendant l'année 1941, alors que j'étais en classe de philo, j'étais tombé, à la bibliothèque Sainte-Geneviève, sur un article de Levinas dans la *Revue philosophique*, sorte d'introduction à la lecture de Husserl et Heidegger, à la théorie phénoménologique dont il n'était jamais question dans les cours de notre professeur de Henri-IV, un certain Bertrand, excellent pédagogue mais piètre théoricien, confit en dévotion idéaliste d'une tradition bien française, victor-cousinienne — vous voyez sans doute ce que je veux dire !

En tout cas, Bertrand sut me transmettre le goût passionné de la philosophie ; des philosophies, en général, sauf de la sienne, inconsistante.

C'était l'époque, rappelerai-je, où Le Senne et Lavelle étaient les figures de proue philosophiques de l'Université. Jean-Paul Sartre n'était encore pour nous que le romancier de *La nausée*, et l'essai fondamental de Merleau-Ponty, *La structure du comportement*, n'avait pas encore été publié.

Emmanuel Levinas me fit donc découvrir Husserl et Heidegger, au cours de l'hiver 1940-1941. Je lus tout ce qui était accessible de ces auteurs et tout ce qu'on avait écrit sur eux : peu de chose ! Il y avait quand même *Sein und Zeit*, que je lus cet hiver-là, l'ayant acquis après de longues hésitations parce qu'il me fallut pour ce faire pénétrer dans la librairie allemande du boulevard Saint-Michel, que je m'étais juré de ne jamais fréquenter.

Ainsi, lorsque je m'assis le 13 mai 1941 dans une salle du Centre d'examens de la rue de l'Abbé-de-l'Épée, pour la composition en philosophie du Concours général des lycées et collèges, et que je pris connaissance du sujet, dont l'énoncé littéral s'est évanoui de ma mémoire, mais qui portait sur les problèmes de la connaissance intuitive, j'eus recours à tout ce que j'avais appris chez Husserl à ce propos.

Bertrand, mon professeur, en fut déchiré : heureux de voir l'un de ses élèves distingué par un prix du Concours général ; marri de constater que j'avais appuyé ma réflexion sur les théories d'un philosophe qui troublait son confort idéaliste.

— Ne meurs pas ! avait-elle dit sur le pas de la porte, à voix presque basse.

D'un geste furtif, mais tendre, elle avait effleuré ma joue.

Nous avions passé la nuit ensemble, rue Visconti, surpris par le couvre-feu. C'était la première fois, pourtant, que nos corps se touchaient : sa main, ma joue, chastement.

J'avais sursauté. Mourir ? Il n'en était pas question. En ce printemps 1943, j'étais certain d'être immortel. Invulnérable, du moins. Pourquoi me disait-elle ça ? Quelle faiblesse, soudain ?

Julia, c'était son nom de guerre, assurait mon dernier rendez-vous avec la MOI, l'organisation communiste pour les étrangers en France. J'y avais eu affaire à Bruno, à Koba. À Julia, ces derniers temps. Mais la décision était prise : j'allais travailler avec Jean-Marie Action, un réseau Buckmaster. C'est là qu'il y aurait des armes et j'avais besoin d'échanger les armes du discours contre le discours des armes.

Si je fais appel à cette formule marxienne, c'est pour que l'on devine où j'en étais, à dix-neuf ans : quelle exigence, quelle illusion, quelle fièvre, quelle volonté de vivre.

(Mourir ? Mais de quoi parlait-elle, Julia ? J'étais invulnérable !)

Les armes, donc : les parachutages, les maquis de Bourgogne, Jean-Marie Action. Je rejoignais le réseau avec l'accord des gens de la MOI. Mais il fallait trancher les liens, pour des raisons de sécurité ; chacun chez soi, pas de prolifération, funeste en cas d'arrestations !

Je ne sais plus pourquoi, sans doute parce que tout était dit, que c'était le dernier rendez-vous, que nos chemins allaient se séparer, sans doute à cause de tout ça à la fois, Julia s'était laissée aller à des confidences.

Rien de précis, certes, rien de vraiment intime. Des allusions à des événements, des commentaires sur des livres, qui permettaient de deviner, de reconstruire des bribes d'une biographie : autrichienne, je savais déjà qu'elle l'était ; viennoise ; probablement juive. Ayant vraisemblablement travaillé, très jeune — Julia devait avoir quand je l'ai connue une trentaine d'années — dans l'appareil du Komintern.

J'avais pu vérifier à quel point sa formation théorique était solide, mais j'ignorais son goût de la littérature. De la poésie, en particulier. Elle me parla de Bertolt Brecht, ce soir-là, dont je ne savais rien, quasiment.

Elle me récita des poèmes de Brecht. Certains vers me sont restés en mémoire, à tout jamais.

Je lui récitai des poèmes de Rafael Alberti, en les lui traduisant. Elle aima surtout les entendre en espagnol, pour la sonorité, la musique de la langue.

De poème en poème, de découverte en découverte, il fut soudain trop tard : l'heure du couvre-feu était passée. J'essayai pourtant de quitter la rue Visconti, de regagner mon logement de l'époque en rasant les murs. Peine perdue : rue Bonaparte, les sifflets des îlotiers se mirent aussitôt à vriller le silence de la nuit.

Je battis en retraite à toute allure.

Avant ce départ précipité, raté, nous avions eu le temps de régler un contentieux personnel. Julia voulait, en effet, que je lui rende un livre qu'elle m'avait prêté. Qu'elle m'avait fait prêter, plutôt. Les derniers temps, j'avais eu la possibilité, une fois par semaine, un certain jour, à une heure donnée, de me présenter dans un appartement bourgeois du septième arrondissement. Une dame ouvrait, d'un certain âge, il fallait un mot de passe. Elle me conduisait jusqu'à une porte cachée derrière une lourde tapisserie, une porte qui donnait sur une pièce bourrée de livres.

C'était la bibliothèque d'Ali Baba, elle contenait tous les ouvrages marxistes publiés à l'époque. En allemand, exclusivement. C'est ainsi que je pus avancer dans la connaissance des œuvres philosophiques de Marx lui-même, lire également un certain nombre de textes polémiques ou théoriques d'auteurs devenus, depuis, mythiques ou pestiférés. Les deux à la fois, souvent.

De tous ces livres, celui qui m'a le plus impressionné est celui de Lukács, *Geschichte und Klassenbewusstsein, Histoire et conscience de classe* : un vrai coup de foudre. Il y avait deux exemplaires de l'édition Malik dans la bibliothèque clandestine de la rue Las Cases.

Celui que j'avais emprunté était précisément l'objet du litige entre Julia et moi. Elle voulait que je le rende, au moment de couper tout contact entre nous. Je prétendais en avoir encore besoin pour ma formation marxiste. Elle me disait que l'essai de Lukács avait été durement critiqué par les instances théoriques du Komintern, qu'il valait mieux ne pas utiliser un livre aussi sulfureux pour ma formation théorique. Je lui répliquai que si Lukács était sulfureux, il était urgent de retirer son livre de la bibliothèque de prêt clandestine, pour ne pas contaminer d'autres lecteurs. Chez moi, *Geschichte und Klassenbewusstsein* serait inaccessible aux âmes faibles !

Elle me traita de sophiste mais ne put s'empêcher de sourire.

À un moment de cette discussion — de guerre lasse, Julia accepterait finalement de me laisser l'exemplaire de l'essai de Lukács ; il a disparu dans la tourmente de ces années, avec toute ma bibliothèque de jeunesse de la rue Blainville ! —, je ne sais plus pourquoi, je lui avais parlé de mon prix de philo au Concours général. Peut-être pour la convaincre de mon droit moral à conserver le livre.

Elle voulut tout savoir de ce prix.

J'ai sous les yeux une photocopie de ma composition de mai 1941.

Il y a quelques années, en effet, le ministère de l'Éducation nationale, qui envisageait une solennelle cérémonie à l'occasion d'un anniversaire de la création dudit Concours général — centenaire ? cent cinquantenaire ? je ne sais plus —, me fit parvenir le texte de ma dissertation.

La commémoration ayant été annulée pour une raison qui m'échappe, peut-être tout simplement parce que le titulaire du portefeuille de l'Éducation nationale avait entre-temps changé, j'ai oublié pourquoi j'avais reçu cette photocopie, ce qu'on attendait de moi à cette occasion frustrée.

Quoi qu'il en soit, j'avais alors relu ma composition.

Tout, dans ce texte, me déroutait, me déconcertait. Je ne reconnaissais pas le garçon de dix-sept ans que j'avais été et qui l'avait écrit. Je ne m'identifiais pas à lui. Je ne reconnaissais pas mon écriture, ni le style de ma pensée, ni la méthode d'approche philosophique.

Ce qui m'avait surtout frappé, si l'on m'autorise un bref instant d'autosatisfaction, c'est qu'il n'y avait pas une seule citation dans mon texte : toutes les références philosophiques, assez faciles à décrypter d'ailleurs, étaient intériorisées, intégrées à mon propre discours. À dix-sept ans — les professeurs qui corrigent des copies de philosophie à longueur d'année le savent bien — on a plutôt tendance à farcir de citations, de références nominatives, les dissertations qu'on écrit. Les citations sont les béquilles d'une pensée encore incertaine.

Pas du tout dans mon cas, ça m'a épaté !

Malgré toutes ces qualités, je ne me reconnaissais pas dans ces pages. C'est un autre que moi qui s'exprimait : un autre moi ; moi-même en tant qu'autre ; ça provoquait ma curiosité.

D'ailleurs, j'étais convaincu que j'aurais eu une sensation d'étrangeté analogue si j'avais pu relire ma copie en 1943, au moment où j'en parlais avec Julia.

Il s'était en effet passé dans ma vie, entre ces deux dates, 1941, 1943, un événement considérable : j'avais découvert les œuvres philosophiques de Karl Marx. J'avais senti passer sur toutes mes idées, sur ma façon d'être dans le monde, le souffle renversant du *Manifeste du Parti communiste*, véritable ouragan.

Je ne sais pas comment faire comprendre à un jeune homme d'aujourd'hui — ni même si c'est possible, encore moins si c'est utile, à un garçon de dix-sept ans qui serait en classe terminale de philosophie —, maintenant que le communisme n'est plus qu'un mauvais souvenir, un objet de recherche archéologique tout au plus, comment lui faire sentir, de toute son âme, de tout son corps, ce qu'aura été pour une génération qui atteignait à ses vingt ans à l'époque de la bataille de Stalingrad la découverte de Marx.

Quelle tornade, quelle chance donnée à l'esprit d'invention et de responsabilité, quel renversement de toutes les valeurs quand on tombait sur Marx après avoir (un peu) lu Nietzsche, *Zarathoustra, La naissance de la tragédie, Généalogie de la morale*... Merde, quel coup de vieux ! Quelle joie de vivre, de risquer, de brûler ses vaisseaux, de chanter dans la nuit des phrases du *Manifeste* !

Non, sans doute, c'est impossible ! Oublions, terminons le travail de deuil, écartons-nous de Marx enseveli par les marxistes dans un linceul sanglant ou une trahison permanente. Impossible de communiquer le sens et le savoir, la saveur et le feu de cette découverte de Marx, à dix-sept ans, dans le Paris de l'Occupation, époque insensée où l'on allait en bande voir *Les mouches* de Sartre, écouter cet appel à la liberté du héros tragique, où, ayant lu tous les livres, fleurissait soudain dans nos âmes le besoin d'une prise d'armes.

À l'aube, rue Visconti, dès la fin du couvre-feu, après cette nuit de conversation, nous étions sur le pas de la porte.

— Ne meurs pas, avait dit Julia.

Sa main droite effleurait tendrement ma joue.

J'avais eu un haut-le-corps : de quoi parlait-elle ? C'était absurde. Comment pouvait-elle imaginer que je fusse mortel ?

— Ne meurs pas, s'il te plaît, insistait-elle.

À Buchenwald, je m'étais souvenu de Julia, en parlant avec Lenoir. Nous parlions de Lukács et je me souvenais de Julia. C'était toujours à cause de Lukács que le souvenir de Julia réapparaissait. Quand j'eus publié mon premier livre, *Le grand voyage*, le vieux Lukács le lut en allemand, il en parla. Il publia des commentaires. À partir de ce moment, vers le milieu des années soixante, il m'envoya régulièrement des étudiants de Budapest, garçons et filles.

On sonnait à ma porte, un jeune inconnu était sur le palier. Ou une inconnue. Je reconnaissais aussitôt le regard de ces jeunes inconnus, garçons ou filles. Ce regard lucide, désespéré, fraternel. Le regard de l'Est, de l'autre

Europe, abandonnée à la barbarie. *Östlich der Hoffnung*, à l'est de l'espérance.

Ils étaient tous porteurs d'un message de Lukács, une conversation pouvait s'engager, une aventure de l'amitié.

Mais je me souvenais de Julia, de sa main sur ma joue, du souffle de sa voix, autrefois.

— Peut-être est-ce tout simplement que Dieu est épuisé, vient de dire Lenoir, qu'il n'a plus de forces. Il s'est retiré de l'Histoire, ou l'Histoire s'est retirée de Lui. Son silence ne serait pas la preuve de son inexistence, mais celle de sa faiblesse, de son impuissance…

Tous les trois, Lenoir, Otto et moi, nous nous étions réfugiés dans la baraque des latrines collectives. Une bourrasque de neige nous avait fouettés soudain, nous coupant la respiration, quand nous remontions du block 56 de Maurice Halbwachs vers le Grand Camp.

Otto, troisième larron de nos conversations, était un « triangle violet », un *Bibelforscher*, un témoin de Jéhovah. Il était apparu dans notre cercle dominical deux semaines auparavant. Qui lui avait parlé de nos conciliabules ? Nous n'en sûmes jamais rien. Mais il nous captiva d'emblée par sa rigueur, une sorte de radicalité de la pensée.

Dès sa première apparition, il interrompit l'un d'entre nous, qui parlait d'un sujet insignifiant.

— Écoutez, nous dit-il en substance. Nous n'arrachons pas quelques instants du dimanche à notre besoin de sommeil, à notre faim permanente, à l'angoisse du lendemain, pour dire des banalités ! Si c'est ça, autant retourner dans nos blocks après l'appel de midi et la soupe aux nouilles pour essayer de dormir quelques heures supplémentaires. D'ailleurs, qui dort dîne…

Il avait dit les trois derniers mots en français, tourné vers Lenoir, dont il ne pouvait deviner qu'il était viennois, juif de surcroît, puisqu'il portait un F imprimé sur son triangle rouge.

Lenoir eut une réaction curieuse, difficile à comprendre. Il débita à toute vitesse une série de proverbes français.

— En effet, qui dort dîne, s'écria-t-il. Tant va la cruche à l'eau qu'à la fin elle se casse. Un verre de vin retire un écu de la poche du médecin. Ciel pommelé et femme fardée sont de courte durée...

Nous le regardâmes avec consternation.

Mais Otto, le témoin de Jéhovah, n'avait pas l'intention de se laisser pour si peu détourner de son propos.

— Il y a un sujet, et un sujet seulement, qui mérite qu'on fasse le sacrifice de quelques heures de sommeil !

Il avait réussi à capter, peut-être même à captiver, notre attention.

— C'est celui de l'expérience du Mal ! Elle domine toutes nos autres expériences à Buchenwald... Même celle de la mort, qui est pourtant cruciale...

Il se trouvait que l'essai de Kant *La Religion dans les limites de la simple Raison*, qui venait d'être traduit, en 1943, avait été l'une de mes dernières lectures. La Gestapo a dû en trouver un exemplaire dans la chambre que j'occupais parfois chez Irène Rossel, à Épizy, faubourg de Joigny. Le livre de Kant et *L'espoir* de Malraux.

— *Das radikal Böse*, l'expérience du Mal radical, pourquoi pas ? ai-je dit à Otto.

Il me regarde, il jubile.

— C'est ça, c'est ça ! Tu étais étudiant de philosophie ? *Philosophiestudent*, ça me rappelle quelque chose.

Bien sûr : la phrase de Seifert, quand il m'a reçu pour la première fois à l'*Arbeitsstatistik*, dans son cagibi personnel. « C'est la première fois que je vois ici un étudiant de philosophie, m'avait-il dit. D'habitude, les copains qu'on m'envoie sont des prolos ! *(Die Kumpel, die zu mir geschickt werden, sind Proleten).*

Mais Otto ne pensait pas qu'il fallût s'en tenir à Kant. Dans l'investigation du Mal radical, il pensait qu'il fallait aussi prendre en compte Schelling, ses *Recherches sur l'essence de la liberté humaine.*

— J'en ai trouvé un exemplaire dans notre foutue bibliothèque, avait-il ajouté.

Mon exemplaire à moi a disparu dans le désastre de la rue Blainville, avec tous mes autres livres.

C'était un volume des éditions Rieder, publié vers le milieu des années vingt. La traduction du texte de Schelling était de Georges Politzer et l'introduction d'Henri Lefebvre.

C'est à cause du traducteur et de l'introducteur, d'ailleurs, que l'essai de Schelling était arrivé entre mes mains. Un copain de Henri-IV — nous avions été ensemble à la manifestation du 11 novembre 1940, sur les Champs-Élysées ; ensemble nous avions réussi à échapper aux rafles de la police parisienne et du bataillon de la Wehrmacht que l'état-major nazi avait envoyé pour dégager le quartier — un copain de philo, en effet, qui n'était pas de Philo 2, comme moi, avec Bertrand, mais de Philo 1, avec René Maublanc, professeur marxiste, on peut s'en souvenir et s'en féliciter, m'avait conseillé la lecture de Schelling, à cause de Politzer et de Lefebvre, précisément.

Bref, j'avais lu l'essai de Schelling, je gardais le souvenir d'une évidente fulgurance théorique, d'un noyau dur d'idées novatrices, sous l'oripeau d'un langage obscur, quasi mystique.

Quelques jours après cette conversation dominicale, autour du châlit de Maurice Halbwachs, Otto était venu me trouver à l'*Arbeitsstatistik*, pendant la pause de midi.

J'étais dans l'arrière-salle, je lisais les journaux. J'étais chargé de faire un résumé de la presse nazie pour la *troïka* de direction du Parti espagnol : un exemplaire unique et manuscrit, que Nieto faisait lire à Falco et à Hernandez, faux noms réels de Lucas et de Celada.

Je choisissais ainsi les articles les plus significatifs du quotidien *Völkischer Beobachter* et de l'hebdomadaire *Das Reich,* que je résumais, ou dont je citais des extraits, traduits bien sûr.

Ce jour-là, je n'avais plus rien à manger, je ne mangeais pas. En revanche, j'avais une cigarette. Je fumais donc une moitié de cigarette de tabac oriental — c'est Seifert, sans doute, qui m'en avait fait cadeau — en buvant un gobelet de la boisson chaude obligatoire de Buchenwald.

La porte s'est ouverte, Walter est entré. Il précédait Otto.

— Une visite pour toi, dit Walter, qui repartit aussitôt.

Otto avait un livre à la main, le fameux essai de Schelling. Il commença à m'en parler, à me montrer les passages qu'il avait choisis pour moi.

Meiners, le « triangle noir », nous observait.

Nous nous tournions le dos, bien entendu, jusqu'alors, comme d'habitude. Mais il a changé de place pour nous observer, l'œil exorbité d'étonnement indigné.

Otto, en effet, tout en soulignant du doigt le passage choisi, dans le volume ouvert devant nous, me lisait à haute voix des morceaux de Schelling. Il tenait à me prouver que la conception du Mal de ce dernier était bien plus riche, plus substantielle, que celle de Kant.

« Quel est le rapport de Dieu comme être moral au Mal, dont la possibilité et l'effectivité dépendent de l'autorévélation ? S'il a voulu celle-ci, a-t-il aussi voulu le Mal, et comment concilier ce vouloir avec la sainteté et la suprême perfection qui sont en lui,

ou encore, pour user de l'expression courante, comment justifier Dieu du Mal ? »

C'était une question pertinente, en effet, que toutes les théologies, la thomiste en particulier, ont prétendu esquiver, ou occulter, en préservant Dieu, en l'écartant à jamais de la ligne du Mal.

J'écoutais Otto me commenter le sens profond de ce passage et je voyais l'œil de Meiners, son rictus haineux.

Otto poursuivait sa lecture.

« Dieu ne fait pas obstacle à cette volonté du fond et ne la supprime pas. Ce serait en effet exactement comme si Dieu supprimait la condition de son existence, c'est-à-dire sa personnalité propre. Donc pour que le Mal ne soit pas, il faudrait que Dieu lui-même ne fût pas… »

À ce moment précis, Meiners réagit. Il gronda des mots incompréhensibles, mais assurément désagréables.

Je m'adressai à lui.

— *Was murmelst du ? Otto ist doch ein Reichsdeutscher !* Que marmonnes-tu, lui avais-je dit, Otto est pourtant un Allemand du Reich !

Une fois encore, ça faisait mouche.

Meiners pliait bagage, partait en criant des grossièretés à la cantonade.

Otto ne s'en étonna pas, ne posa aucune question.

— Trou du cul, dit-il. Je le connais. J'espère qu'il passera en justice. Il ne vaut même pas le prix du plomb de six balles dans le bide !

La lecture assidue de la Bible n'interdisait visiblement pas les jugements tranchés !

Un peu plus tard, Otto me lut une autre phrase de Schelling, qui me resta en mémoire, littéralement. De celles que je viens de reproduire, en revanche, je n'avais retenu que le sens général. Il aura fallu que j'en reconstitue la littéralité en cherchant dans un volume des œuvres métaphysiques de Schelling publié naguère dans une collection de philosophie prestigieuse et dans une traduction plus récente que celle de Politzer.

Quoi qu'il en soit, Otto, jadis, dans l'arrière-salle de l'*Arbeit*, venait de m'exposer une notion cruciale de Schelling, selon laquelle nulle part l'ordre et la forme ne représentent quelque chose d'originaire : c'est une irrégularité initiale qui constitue le fond cosmologique et existentiel.

Et de conclure par la formule qui me frappa au plus intime, au point que je la retiendrais pour toujours : *« Sans cette obscurité préalable la créature n'aurait aucune réalité : la ténèbre lui revient nécessairement en partage... »*

Non seulement la ténèbre de la souffrance, pure passivité, pensais-je ; la ténèbre aussi du Mal, pulsion active de la liberté originaire de l'homme.

C'est ainsi que Dieu fit son irruption dans nos conversations autour du châlit de Maurice Halbwachs. C'était la moindre des choses : dimanche, jour de la soupe aux nouilles et du bref loisir miraculeux, jour du Seigneur.

— Peut-être Dieu est-il épuisé, exsangue, peut-être n'a-t-il plus de forces. Son silence serait le signe de sa faiblesse, non de son absence, de son manque à exister, vient de lancer Lenoir, Juif viennois, en réponse à une question d'Otto.

Nous étions entrés tous les trois, Lenoir, Otto, et moi, dans la baraque des latrines collectives, en sortant du block 56. Il était cinq heures et demie, la nuit tombait. Bientôt je saurais quel mort allait, le cas échéant, prendre mon nom pour que je prenne sa vie.

Nous nous étions avancés tous les trois, pour nous réchauffer, jusqu'au milieu de la baraque, dans la vapeur pestilentielle et chaleureuse. Je pense qu'aucun de nous ne faisait vraiment attention à l'habituel spectacle des déportés déculottés, assis sur la poutre d'appui, en train de déféquer, par dizaines. Nous parlions du silence de Dieu, de sa faiblesse feinte ou réelle, et le bruit, pourtant proche et répugnant, des viscères taraudées par la chiasse ne nous atteignait pas, ou si peu.

Sur le silence de Dieu, je n'avais pas d'inquiétude métaphysique. Qu'y avait-il d'étonnant, en effet, dans le silence de Dieu ? Quand avait-Il parlé ? À l'occasion de quel massacre du passé avait-Il laissé entendre sa voix ? Quel conquérant, quel chef de guerre cruel avait-Il jamais condamné ?

Si l'on ne voulait pas traiter les écrits bibliques comme des fables, si l'on voulait leur attribuer quelque réalité historique, il apparaissait que Dieu n'avait plus parlé, dans l'histoire de l'humanité, depuis le mont Sinaï. Quoi de surprenant, donc, à ce qu'il continue de garder le silence ? À quoi bon s'étonner, s'indigner ou s'angoisser d'un silence aussi habituel, tellement enraciné dans l'Histoire, constitutif peut-être même de notre histoire, à partir du moment où elle — l'Histoire — a cessé d'être sainte ?

Ce qui était en question, disais-je aux deux autres, ce n'était pas le silence de Dieu, mais celui des hommes. Sur le nazisme, par exemple, Mal absolu. Trop long, trop craintif silence des hommes.

Mais notre conversation s'interrompit abruptement.

Un déporté traversait soudain la baraque, trébuchant sur ses galoches à semelles de bois, courant vers la fosse d'aisance. L'urgence de son besoin était telle qu'il se déculottait tout en avançant en une course sautillante.

Il n'eut pas le temps d'atteindre la fosse. Avant qu'il n'eût réussi à se retourner pour s'affaler du cul sur la poutre porteuse, un jet de liquide nauséabond et visqueux jaillissait de ses entrailles, souillant les vêtements d'un groupe assis tout près, en rond, trois ou quatre déportés en train de se partager un mégot.

Hurlements d'indignation et de dégoût ; insultes sanguinaires ; tabassage immédiat du coupable involontaire, qui finit par être jeté dans la fosse d'aisance, à se rouler dans la merde.

Aussitôt, la bagarre fut générale.

Le pauvre chiasseux étant français et le groupe de tranquilles fumeurs de *machorka* polonais, l'affrontement devint ethnique.

Tous les Français de la baraque se précipitèrent, clopinant, claudiquant, haletant, à la rescousse de leur compatriote, pour le hisser hors de la fosse d'aisance et punir les Polonais. Qui se regroupèrent également, profitant de l'occasion pour se venger des Français, assez généralement méprisés à Buchenwald par les déportés de l'Europe centrale et de l'Est, à cause de leur cinglante défaite de 1940 face à l'armée allemande. Nous serions libres déjà, si ces Français minables ne s'étaient pas fait écraser : tel était le sentiment général en Mitteleuropa.

L'arrivée d'un groupe de jeunes Russes solides du *Stubendienst* des blocks du Petit Camp mit fin au désordre, chacun revenant aussitôt à son occupation dominicale habituelle, dans la buée malodorante de « bain populaire », de « buanderie militaire ».

— Dis à ce « vieux croyant » de s'écarter un instant… J'ai besoin de te parler seul à seul !

Nikolaï, le *Stubendienst* du block 56 est devant nous.

Otto et moi sommes à l'entrée de la baraque des latrines. Dans la confusion et le brouhaha, Lenoir s'est tiré : il n'avait aucune envie d'être pris à partie dans la bagarre entre Polonais et Français. Le F noir sur son triangle rouge pouvait l'y entraîner : un comble, ç'aurait été, pour un Juif viennois !

Nikolaï pointait un doigt sur Otto, le témoin de Jéhovah.

Il avait parlé en allemand, comme d'habitude. Mais il avait dit *raskolnik* pour « vieux croyant ». J'ai traduit du russe pour la commodité du lecteur.

Nous étions à l'entrée des latrines : dans quelques minutes, j'allais me diriger vers le *Revier*, pour retrouver Kaminsky. Pour connaître enfin le mort dont j'allais peut-être prendre la place. Et qui, dans ce cas, prendrait la mienne à son tour.

Nikolaï était apparu, toujours impeccable : bottes luisantes malgré la boue neigeuse ; pantalons de cheval ; casquette d'officier soviétique sur le crâne. J'avais tout à l'heure remarqué sa présence dans l'équipe de jeunes Russes venus mettre de l'ordre avec une brutale efficacité.

Otto fait un geste.

— Je vous laisse, dit-il.

Puis, s'adressant à Nikolaï :

— *Raskolnik* n'est sans doute pas la meilleure traduction pour *Bibelforscher* !

— Pas si mauvaise, puisque tu m'as compris !

Otto s'éloigne dans la nuit.

— Alors ? dis-je à Nikolaï. Sois bref, je suis pressé !

— Rendez-vous galant ?

Il me fait rire.

— Peut-être, je lui réponds, d'un certain point de vue !

Des vers espagnols me reviennent en mémoire. Des vers d'Antonio Machado à propos de l'assassinat de Lorca. La mort, jeune femme courtisée. Ou bien qui vous courtise. Mort courtisane, pourquoi pas ?

— À propos, poursuit Nikolaï, si t'as envie d'enculer un garçon, tu me le dis !

— Alcool, bottes de cuir, gitons : la maison fournit tout !

Il hoche la tête, positif.

— Bière, margarine, estampes obscènes, trous de cul, c'est ça ! renchérit-il.

Son regard se fige, se durcit.

— Argent aussi. Des devises, bien sûr !

Il a dit *valuta*, le mot russe approprié. Qui est un germanisme, d'ailleurs.

— Même des dollars ? Il vous faut des dollars, ce sont les Américains qui vont gagner la guerre !

Il jure, il envoie quelqu'un baiser sa mère. Je crains que ce ne soit moi. Je décide de ne pas m'en formaliser.

Il ricane : des dents très blanches, carnassières.

— Des dollars, justement !

Sa main droite a saisi le revers de mon caban bleu. On peut interpréter ce geste comme une menace ; ou un avertissement.

— Nous voudrions que tu fasses passer un message à l'Accordéoniste...

Le passage du « je » au « nous » est significatif. Deuxième message. Il n'est pas seul ; ils sont un groupe, une bande, un gang. Un pouvoir, en somme.

— Dis toujours.

L'Accordéoniste, c'est l'accordéoniste : il n'y en a qu'un, à Buchenwald. Un seul qui, du moins, pratique son art, un Français. Il court d'un block à l'autre, avant le couvre-feu. Le dimanche après-midi, surtout. Il joue : petits récitals contre un rab de pain, de soupe, de margarine. Beaucoup de chefs de block l'acceptent : ça détend les déportés, adoucit leur détresse. L'accordéon est un succédané gratuit de l'opium du peuple.

Quand nous étions encore en quarantaine, au 62, Yves Darriet m'avait présenté l'Accordéoniste.

— Des dollars, il en a, justement, planqués, me dit Nikolaï. C'est nous qui avons récupéré son instrument à l'*Effektenkammer*. S'il veut continuer à jouer, à faire son beurre avec l'accordéon, qu'il nous paie la somme convenue. Qu'il n'essaie pas de nous mener en bateau. Dernier avis avant qu'on lui écrase les doigts, un par un, un par jour !

— Pourquoi moi ?

— Pourquoi toi quoi ?

Je précise :

— Pourquoi tu m'as choisi...

Il m'interrompt.

— Nous t'avons choisi ! Parce que tu le connais depuis la quarantaine, parce qu'il sait — nous aussi — que tu n'as aucun intérêt dans cette affaire, t'es impartial. Et puis t'es un *Prominent*, Seifert t'a à la bonne, nous le savons, ça inspire confiance !

Je pourrais être flatté, je ne le suis pas. Ça m'emmerde.

Mais peut-être Kaminsky va-t-il me tirer de là, s'il est obligé de me faire disparaître.

— Je ne veux pas me faire chier dans une affaire pourrie, je lui dis. Donne-moi deux jours pour te répondre.

— Deux jours, ça fait quoi ?

— Ça fait quarante-huit heures. Nous sommes dimanche, mardi t'as ma réponse. Foutez-lui la paix d'ici là !

Il hoche la tête, il accepte.

— D'ici là, nous l'aurons à l'œil. Qu'il n'essaie pas de planquer ses dollars ailleurs : nous n'allons pas le perdre de vue !

J'imagine que les dollars, si dollars il y a — mais il y en a sûrement ! —, sont cachés dans l'instrument lui-même, l'accordéon, qui ne l'a pas quitté à travers prisons et voyages.

Mais ce n'est pas mon problème.

Nikolaï s'en va, revient aussitôt vers moi.

— Ton monsieur professeur n'ouvre plus les yeux !

— Non, je lui réponds, mais il voit. Il voit clair sans ouvrir les yeux.

Il ne comprend pas, ça ne fait rien.

— Rappelle ton *raskolnik*, me dit-il, mais pas un mot !

Il s'enfonce dans la nuit.

— Tu as remarqué sa casquette ? me demande Otto, quelques instants plus tard.

Il m'a rejoint. Il est temps pour moi d'aller au *Revier*.

— Une casquette du NKVD, oui ! Nikolaï en est très fier. Une casquette d'officier des unités spéciales de la police...

— Ainsi, m'interrompt Otto, sans changer de casquette, il pourrait changer de statut : au lieu d'être déporté dans un camp nazi, il pourrait être gardien dans un camp soviétique !

Je sens un froid glacial m'entourer les épaules.

— Que veux-tu dire, Otto ?

— Ce que je dis : qu'il y a des camps en URSS...

Je lui fais face.

— Je sais... Des écrivains en ont parlé... Gorki en a parlé, à propos de la construction du canal de la mer Blanche. Des criminels de droit commun vont dans des camps, y travailler utilement, au lieu de moisir connement en prison. Des camps de rééducation par le travail...

Je prends conscience du fait que je viens de prononcer un mot fatidique du vocabulaire nazi, *Umschulungslager*, camp de rééducation.

Otto sourit.

— C'est ça... *Umschulung*... C'est la marotte des dictatures, la rééducation ! Mais je ne veux pas discuter avec toi : tu es décidé à refuser de m'entendre. Je peux te faire connaître un déporté russe, un type remarquable. Un *raskolnik*, lui, vraiment, un « vieux croyant ». Un témoin, pas seulement du Christ... Il te racontera la Sibérie !

— La Sibérie, je connais, lui dis-je rageusement. J'ai lu Tolstoï, Dostoïevski...

— C'était le bagne tsariste... Mon *raskolnik* te dira les bagnes soviétiques !

Je n'ai plus une minute à perdre : Kaminsky va être furieux si j'arrive en retard.

— Écoute, lui dis-je, j'ai un rendez-vous important, là, tout de suite, au *Revier*... Dimanche prochain, tu me racontes tout ça !

Otto s'en va, relevant le col de son caban, engonçant la tête dans ses épaules, pour se protéger du vent glacial.

Le dimanche suivant, il m'attend près du châlit de Maurice Halbwachs.

— Alors ? lui demandé-je. Quand je le vois, ton *raskolnik ?*

Il n'a pas l'air très à son aise. Il évite mon regard.

— Il ne veut pas, me dit-il après une longue hésitation.

J'attends la suite, qui tarde à venir.

— Il ne parlera pas avec un communiste, dit-il d'une voix hâtive.

Il s'efforce de sourire.

— Même avec un jeune communiste espagnol, il ne parlera pas !

— C'est quoi, cette connerie ?

— Tu ne voudras jamais entendre la vérité. Et puis tu risques d'en parler à tes copains allemands, qui ont ici droit de mort. Quand il a su que tu travaillais à l'*Arbeitsstatistik*, il a refusé catégoriquement !

Je suis quelque peu désemparé, en colère.

— Tu ne l'as pas détrompé, rassuré ? Tu lui as dit quoi ?

Il hoche la tête, il pose une main sur mon épaule.

— Que tu ne le croirais pas, probablement. Mais que tu garderais ça pour toi, n'en parlerais à personne !

J'essaie de me venger.

— Drôle de témoin, ton *raskolnik* ! Pas très courageux...

— Il avait prévu ta réaction, me dit Otto. Ce n'est pas une question de courage, m'a-t-il prié de te dire. Mais qu'il est inutile de parler à qui ne veut pas écouter, ne peut pas entendre. Un jour viendra pour toi, il en est sûr.

Nous sommes debout, silencieux désormais, contre le châlit de Maurice Halbwachs.

C'est vrai que je n'aurais pas voulu entendre le *raskolnik*, pas pu l'écouter. Pour être vraiment sincère, je crois que j'ai été soulagé, en quelque sorte, du refus du « vieux croyant ». Son silence me permettait de rester dans le confort de ma surdité volontaire.

DEUXIÈME PARTIE

Schön war die Zeit
da wir uns so geliebt...

Je trébuche sur la neige du chemin. Peut-être de surprise, ou de saisissement.

Il y aurait de quoi, en tout cas.

La voix de Zarah Leander m'atteint à l'improviste pendant que je cours vers le petit bois où se nichent les baraquements du *Revier.* Elle tombe sur moi, chaude, prenante, mordorée ; elle m'enveloppe comme la tendresse d'un bras sur l'épaule, la tiédeur d'une écharpe de soie douce.

Elle semble ne s'adresser qu'à moi, chuchotant à mon oreille des mots d'amour, *« heureux le temps où nous nous aimions tant »*, d'une poignante banalité, d'une universelle vacuité nostalgique.

En réalité, c'est le circuit des haut-parleurs destinés à transmettre haut et fort les ordres des SS qui diffuse dans le camp tout entier la voix cuivrée de Zarah Leander. On l'entend dans les dortoirs, les réfectoires, les cagibis des chefs de block et des kapos, les bureaux des kommandos intérieurs de maintenance, sur la place d'appel également. Partout, jusqu'au moindre recoin de Buchenwald.

Sauf dans la baraque des latrines du Petit Camp, seul bâtiment qui ne soit pas branché sur le système des haut-parleurs, qui échappe au pouvoir SS.

Là-haut, dans la tour de contrôle qui surmonte l'entrée monumentale du camp, le *Rapportführer* a déclenché à la cantonade cette voix tonitruante, qui ne s'adresse pourtant qu'à notre intimité, à notre solitude.

Je reprends mon équilibre, mes esprits du même coup.

Lorsque la voix m'a surpris, cette voix qui me parle à l'oreille, alors qu'elle se répand sur toute la colline de l'Ettersberg, j'arrivais à l'orée du petit bois qui entoure les baraquements de l'infirmerie, le *Revier*, ainsi qu'une grande halle à usages multiples : aussi bien salle de cinéma, *Kino*, le cas échéant, que lieu de rassemblement des déportés désignés pour un transport ou une quelconque opération massive, corvée générale ou vaccination, par exemple.

Ce soir, je marche à grands pas vers l'infirmerie. J'ai rendez-vous avec Kaminsky ; avec le mort qu'il me faut, également.

— J'espère que ce fils de pute de sous-off SS va nous mettre Zarah Leander, comme tous les dimanches ! s'était exclamé Sebastián Manglano, tout à l'heure.

Dans le réfectoire du block 40, la répétition continuait. Mais nous nous en étions écartés, tous les deux. Nous fumions un mégot de *machorka*. Une bouffée chacun, avec une exigence pointilleuse d'égalité. Pas question de tricher, l'enjeu était trop important. On avait beau être copains, à la vie à la mort, chacun de nous surveillait la progression du cercle de braise rougeoyante sur le mince cylindre de la cigarette. Pas question de permettre à l'autre une aspiration trop prolongée !

¡ Ay que trabajo me cuesta
quererte como te quiero !

Ce sont encore des paroles de Lorca que l'on entend dans le réfectoire, mais ce n'est plus Manglano qui récite.

Personne ne récite, d'ailleurs : on chante, ça se chante. Le poème de Lorca est tellement proche de la *copla* populaire andalouse par son rythme interne, son phrasé musical latent, qu'il est facile d'en donner une version chantée.

Mais ce n'est pas Manglano qui chante. C'est Paquito, un très jeune déporté espagnol.

Paquito avait été arrêté dans le sud de la France, au cours d'une opération de ratissage de l'armée allemande. Pour je ne sais plus quelles raisons, si tant est que je les aie jamais sues, il avait été confié par ses parents à une sorte d'oncle, ou de cousin plus âgé, qui travaillait dans un camp de bûcherons espagnols de l'Ariège. Ledit camp servant de base et de couverture à un détachement de guérilleros, l'armée et la *Feldgendarmerie* nazies montèrent une opération de ratissage dans la région.

Bref, Paquito se retrouva à seize ans à Buchenwald.

C'était un garçon fragile et gracieux. On l'avait planqué à la *Schneiderei*, le kommando des tailleurs où l'on rafistolait nos fringues. Où l'on pouvait aussi, si on était *Prominent* et disposait de moyens de paiement (tabac, margarine, alcool), se faire couper des vêtements sur mesure.

Sauvé de la famine et des risques mortifères de certaines corvées, Paquito devint célèbre dans le camp dès que nous, les Espagnols, commençâmes à organiser des spectacles. Car il y jouait les rôles féminins. Le rôle féminin, plutôt, le rôle unique de la femme éternelle, *das Ewigweibliche.*

Mince, la taille bien prise, grimé et perruqué, vêtu d'une robe andalouse à volants et à pois qu'il s'était confectionnée lui-même avec des bouts de chiffon, pourvu d'une jolie voix encore proche des ambiguïtés enfantines, Paquito pouvait faire illusion.

Il était l'illusion incarnée, l'illusion même, bouleversante, de la féminité.

En principe, nos spectacles n'étaient destinés qu'à la petite communauté espagnole, à laquelle ils pouvaient apporter le réconfort nostalgique de l'appartenance, de la mémoire partagée. Des déportés français y assistaient souvent, pour des raisons évidentes de proximité culturelle et politique. Surtout des Français originaires des régions frontalières, l'Occitanie et l'Euskal Herria.

La performance de Paquito fut aussitôt connue et colportée dans des cercles plus larges. Sa célébrité se propagea à Buchenwald en traînée de poudre. Certains dimanches après-midi, il fallut, littéralement, refuser du monde.

Ce succès était équivoque, on peut l'imaginer. Ce n'était pas seulement le goût de la poésie et de la chanson populaire qui le provoquait. Dans les réfectoires des blocks où il se produisait — ou dans les salles plus vastes du *Revier* et du *Kino* que nous obtenions parfois de l'administration interne —, Paquito allumait dans les yeux des mecs des arcs-en-ciel de désir fou.

Ceux qui aimaient les femmes projetaient sur cette figure garçonne mais androgyne leur douleur lancinante, leur désir inassouvi, leur rêve irréalisable. L'accès au bordel étant limité à quelques centaines de détenus allemands, des milliers d'autres étaient condamnés au souvenir et à l'onanisme, que la promiscuité, l'épuisement et la désespérance rendaient presque impossible pour la plèbe de Buchenwald — difficile, du moins, à mener jusqu'au terme et au foudroiement.

Pour pratiquer plaisamment le plaisir solitaire, il fallait de la solitude, bien évidemment. Il fallait disposer d'un cagibi privé — comme pour le plaisir homosexuel, d'ailleurs —, paradis accessible seulement aux chefs de block et à certains kapos.

Ainsi, comme dans tous les autres domaines de la vie quotidienne, la sexualité se déterminait à Buchenwald par des différences de classe.

De caste, plutôt.

Ceux qui n'avaient jamais aimé les femmes, ou qui en avaient perdu le goût, ceux que la bourrasque de ce désir-là ne fouettait plus, après de trop longues années dans l'univers contraignant, épais, impitoyable, de la masculinité, de la promiscuité virile, regardaient Paquito avec des yeux vagues, exorbités, dolents, en se frottant la braguette, essayant de deviner derrière les oripeaux féminins un corps jeune et souple de garçon s'exposant à leur fantaisie.

Parfois, l'ambiance devenait tendue, presque dramatique ; la respiration collective sifflante, l'air suffocant.

Paquito avait fini par en prendre peur. Il décida d'arrêter ce jeu-là.

Pour son dernier spectacle, celui que nous préparions, il se tiendrait immobile sur la scène improvisée, sans mouvements de hanches ni jupes virevoltantes, pour simplement chanter *a cappella* quelques poèmes de Lorca.

Dont celui qu'il était en train d'apprendre par cœur, ce dimanche de décembre, au bout du réfectoire.

¡ Ay que trabajo me cuesta
quererte como te quiero !
Por tu amor me duele el aire,
el corazón
y el sombrero.

Ce poème-là nous enchantait déjà à Madrid, dans l'éphémère paradis des découvertes enfantines. Outre la drôlerie quelque peu surréelle du texte (*« Ah, quel travail ça me coûte,/de t'aimer comme je t'aime !/Par ton amour j'ai du mal, à l'air,/au cœur,/au chapeau ! »*), le fait d'avoir vu Lorca à la maison, où il était venu dîner avec d'autres invités dans la grande salle à manger d'acajou et de palissandre, ajoutait au charme de ces vers.

Chez les Smith Semprun, nous les récitions à Moraima, jolie cousine, histoire de la faire rire en lui déclarant une flamme dont elle ne pourrait se sentir importunée.

C'était surtout la fin du poème qui nous ravissait.

... y esta tristeza de hilo
blanco, para hacer pañuelos...

Ces deux derniers vers *(«... et cette tristesse de fil / blanc, pour en faire des mouchoirs... »)* nous laissaient jadis songeurs, à l'orée même du mystère poétique.

Des années plus tard, c'était toujours vrai.

Dans le réfectoire de l'aile C du block 40 de Buchenwald, j'entendais la voix mélodieuse de Paquito chanter le poème de Lorca et le frémissement vivace d'autrefois venait se glisser dans l'opaque fatigue de vivre, la nausée suscitée par la faim permanente, rendant habitable pour un instant une âme dont le corps n'aspirait, lâchement, qu'à l'infini repos de la finitude.

— J'espère que ce fils de pute du dimanche va nous mettre les disques de Zarah Leander ! s'était exclamé Sebastián.

Je m'étonnais. Pourquoi ? N'en avait-il pas assez de la sempiternelle rengaine dominicale ?

Il haussait les épaules, me parlait d'un ton péremptoire.

— Les paroles, je m'en tape ! J'y comprends rien... Mais la voix est bandante... elle m'aide à me branler !

Sebastián Manglano me rappelait les garnements de Vallecas, fils de prolos ou de sans-travail, qui venaient jadis de ce faubourg ouvrier de Madrid jusqu'aux jardins du Retiro pour interrompre nos parties de ballon entre fils de la bourgeoisie du quartier de Salamanca, sous le ciel bleu d'anil de l'hiver ensoleillé. Comme eux, il parlait des affaires du sexe avec une brutale simplicité.

— Le dimanche après-midi, m'explique-t-il, c'est génial pour moi. Toi, tu disparais jusqu'au couvre-feu, t'as des réunions, des discussions, le Parti, tes copains, ton vieux prof : parfait. Moi, le Parti, ça m'emmerde, la parlote, en tout cas. Qu'on me dise ce qu'il faut faire, ça suffit. Pas besoin de beaucoup de palabres, non ? Tu te souviens de la chanson du Komintern ? *Du pain, et pas de discours !* C'est simple, la perspective. Tu vois, je connais les mots, certains, de votre langage ! La perspective, facile : il faut se battre. Et l'ennemi, merde, aucun doute n'est possible : les fachos...

Il faut que j'interrompe Manglano une seconde : « fachos » n'est pas un anachronisme, quoi qu'on en pense. Si cette abréviation familière de « fascistes » est bien postérieure, en effet, à la date de ma conversation avec Manglano, ce n'est pourtant pas un anachronisme, c'est une traduction. En espagnol, on dit *fachas* pour fascistes depuis la guerre civile de 1936. Manglano m'avait dit dans notre langue : *« Y el enemigo, ¡ coño, ya se sabe : los fachas ! »* « Fachos », donc, pour *fachas* : une traduction plausible et personnelle.

— L'ennemi, merde, me dit Manglano, on sait qui c'est, les fachos ! Alors, sur la chaîne de montage de la Gustloff, lorsque le copain allemand responsable vient me demander dans le dos des *Meister* civils et des sous-offs SS de fausser une pièce du fusil automatique que nous produisons, pas besoin de longs discours ! Je sais qu'il est allé trouver les ajusteurs, les fraiseurs, tout le long de la chaîne, je sais que nous sommes les meilleurs spécialistes, que nous sommes communistes, tous, et chacun de nous va commettre sur la pièce qu'il façonne une erreur millimétrique, et en fin de compte, au bout de la chaîne, le fusil deviendra très vite inutilisable... Ça, je veux bien, je suis là pour ça, planqué au chaud à la Gustloff pour ça ! Mais je reviens à mon truc : le dimanche après-midi, c'est génial ! Tu es parti, j'ai le châlit pour moi tout seul... Après la soupe aux nouilles, une sieste : le bonheur, mec ! Et, pour commencer, une bonne paille !

Mais je vais trop vite : « paille » pour *paja*, très bien. Traduction littérale. Mauvaise traduction, cependant. Car *paja, hacerse una paja*, « se faire une paille », veut dire se branler. C'est coton, en tout cas, de rendre la richesse du langage populaire de Manglano, qui disait : *« Después de la sopa de pasta, una siesta : la dicha, macho. A tocarse la picha, ¡ la gran paja ! »*

C'est là qu'intervient Zarah Leander, sa voix plutôt. Manglano la trouve excitante : ça facilite la grande paille !

Nous finissons notre mégot de *machorka*, tirant les dernières bouffées, à nous brûler les lèvres. Je lui souhaite bonne chance : que le sous-off SS de service à la tour de contrôle soit celui qui aime les chansons de Zarah Leander ; que son Alexandre soit en forme. Manglano a donné à son organe viril ce nom, Alejandro. Quand je lui ai demandé pourquoi, il m'a regardé avec une certaine commisération : *Pero vamos : ¡ Alejandro Magno !* « Mais voyons, Alexandre le Grand ! » Manglano était enfantinement fier de la taille de son engin. Encore fallait-il que ce dernier fût en forme. Les périodes récurrentes de faiblesse d'Alexandre lui procuraient ces derniers temps une angoisse attentive, une attente angoissée. Mais Alexandre revenait toujours, ressuscitant du néant de l'impuissance, du moins jusqu'à ce dimanche de décembre.

Soudain, le haut-parleur du réfectoire crachote un bruit rauque. Aussitôt après, pure, grave, prenante, la voix de Zarah Leander se fait entendre.

So stelle ich mir die Liebe vor,
ich bin nicht mehr allein…

— Fonce, je lui dis, fonce, Sebastián ! C'est le moment ou jamais de la grande paille !

Il fonce vers le dortoir, en effet, vers la solitude dominicale et délicieuse du châlit, avec un grand éclat de rire sauvage.

— À six heures au *Revier*, avait dit Kaminsky.

M'y voici.

Les déportés se pressaient à l'entrée de la baraque d'accueil et de consultation, en groupes tourbillonnants, essayant de se glisser à l'intérieur. On poussait dans tous les sens, ça gueulait dans toutes les langues. Si l'allemand, réduit, certes, à des mots impératifs et des formules passe-partout, était le sabir de communication, donc de commandement, de Buchenwald, chacun revenait à sa langue maternelle pour exprimer la colère ou l'angoisse, pour proférer l'imprécation.

Un service d'ordre de jeunes infirmiers russes, employant plutôt le hurlement et la manière forte, canalisait le flot des arrivants et filtrait les entrées.

Étaient refoulés, tout d'abord, ceux qui n'avaient pas pensé ou pas réussi à nettoyer leurs godasses de la neige boueuse qui s'y collait forcément dès qu'on circulait en plein air. Le règlement SS était strict à ce propos : nul n'entrait dans les baraques sans avoir des chaussures propres.

Au *Revier*, il était particulièrement important de le faire respecter. C'était la seule installation intérieure du camp où les officiers SS exerçaient encore, systématiquement, quotidiennement, leur droit de contrôle et d'inspection. Leur pouvoir de répression, donc. Trop de bottes ou de godasses boueuses à l'intérieur des baraquements de l'infirmerie pouvaient provoquer des représailles générales aux conséquences imprévisibles, mais forcément néfastes.

Ceux qui n'avaient pas de chaussures propres étaient donc renvoyés à l'extérieur, à racler leurs godasses sur les barres de fer prévues à cet effet, afin de les débarrasser des plaques de neige et de boue qui y adhéraient.

En deuxième lieu, les jeunes Russes du service d'ordre, rapides et précis comme les videurs physionomistes des boîtes de nuit, casinos et autres lieux de plaisir privilégiés, refoulaient ceux qui se présentaient trop souvent à la consultation du *Revier*, dans l'espoir d'obtenir un billet de *Schonung*, d'exemption du travail.

D'un geste, d'un cri, d'un juron — toujours le même : il y était question de les envoyer baiser leur mère ailleurs —, ceux-là, à peine reconnus, étaient chassés de la petite foule des postulants, comme des resquilleurs récidivistes et dangereux.

C'est ensuite seulement que commençait le tri proprement dit.

Redevenus infirmiers, les jeunes Russes examinaient les déportés qui prétendaient parvenir jusqu'à la consultation médicale proprement dite.

Certains, même s'ils venaient au *Revier* pour la première fois et avaient des godasses propres, double condition pour franchir le premier barrage, étaient renvoyés immédiatement dans leurs blocks. Ils ne semblaient pas assez mal en point pour avoir besoin d'un arrêt de travail. Ils montraient les traces cutanées d'un furoncle mal guéri, les contusions provoquées par le matraquage d'un sous-off SS ou d'un kapo dévoyé ; ils montraient les doigts meurtris par maladresse avec le marteau ou les tenailles, sur le lieu de travail, parce que ce n'étaient pas des manuels, mais, qui sait ? des professeurs d'Université.

Ce n'était pas suffisant : leur inaptitude provisoire au travail n'était pas évidente.

Les jeunes infirmiers russes jugeaient sur pièces, sur preuves : sur apparence, donc. Ils n'étaient pas là pour écouter la doléance profonde de ces hommes désespérés. Pouvait-on imaginer l'un de ces jeunes Russes s'arrêter un instant de taper aveuglément à droite ou à gauche pour maintenir un semblant d'ordre et prêter attention à leur demande, informulable par ailleurs dans ces conditions de cohue brutale ?

Ce qu'ils avaient à dire, dans la hâte, dans le sabir primitif qui était l'idiome commun, était à la fois trop vague et trop vaste. Littéralement inécoutable, donc. Ils montraient leurs doigts meurtris, ou leur aisselle encore purulente d'une furonculose persistante, mais c'est au corps tout entier qu'ils avaient mal : c'est tout leur corps qui refusait l'obstacle de la vie, sa difficulté, qui en avait assez, qui criait grâce. Un jour ou deux de *Schonung*, d'arrêt de travail, c'était pour eux comme sortir la tête hors de l'eau, lors d'une noyade. Un grand bol d'air, le paysage ensoleillé, une force retrouvée pour continuer à se battre contre le courant qui vous emporte. Un jour de *Schonung* — même s'ils ne savaient pas l'allemand, s'ils ne pouvaient se régaler des connotations lexicales du mot —, c'était quelques heures de sommeil supplémentaires, une chance de vie augmentée. Car la plupart des morts des camps de concentration — je ne parle pas, bien entendu, des camps de Pologne, avec la sélection et les chambres à gaz, programmés surtout pour l'extermination du peuple juif —, la plupart de ces morts-là, donc, les dizaines de milliers de morts politiques, résistants de tous les pays d'Europe, maquisards de toutes les forêts, toutes les montagnes, n'ont pas été victimes des bastonnades, des exécutions sommaires, de la torture : la plupart sont morts d'épuisement, d'une impossibilité soudaine à surmonter une croissante fatigue de vivre, abattus par l'abattement, la lente destruction de toutes leurs réserves d'énergie et d'espérance.

Je m'étais approché de la porte du *Revier*, dans l'espoir d'apercevoir la silhouette de Kaminsky derrière le barrage que formaient les infirmiers russes. Je n'avais pas envie d'argumenter avec eux pour réussir à entrer.

Kaminsky était là, bien sûr.

Il m'a vu, m'a montré d'un geste à l'un des jeunes Russes, en lui parlant.

Le Russe écarte l'attroupement qui me sépare de lui et gueule qu'on me laisse passer. Les déportés s'écartent, en effet, je passe. Soudain, je vois son regard fixé sur mon numéro de matricule et sur le S qui le surmonte. À voix basse, lorsque je passe près de lui, le jeune infirmier me dit en allemand :

Der Akkordeonspieler ist da drinnen !

D'un mouvement de la tête, il m'indique l'intérieur de la baraque. L'Accordéoniste est la-dedans.

L'Accordéoniste ? S'il connaît cette histoire, ça prouve qu'il fait partie du gang de Nikolaï.

Quoi qu'il en soit, je suis à côté de Kaminsky lorsque j'entends qu'on m'appelle.

— Gérard, Gérard ! dit la voix.

Je me retourne.

Au premier rang des déportés qui se pressent pour entrer dans la baraque de la consultation, il y a un Français.

S'il m'appelle Gérard, ça peut être un copain du Parti. Mais ce n'est pas un copain du Parti, je connais leurs visages. Les visages de tous ceux, du moins, qui peuvent s'adresser à moi en m'appelant Gérard, qui connaissent ce pseudo de la Résistance. Mais ça peut être aussi quelqu'un qui me connaît de la Résistance, précisément, même s'il n'est pas du Parti. De Joigny ? Du maquis du Tabou ? De la prison d'Auxerre ? Je ne le reconnais pas d'emblée, mais je cerne à peu près son image : c'est plutôt à la prison d'Auxerre que je l'ai connu. C'est ça, Olivier, l'Olivier grand et maigre de la prison d'Auxerre, tombé dans l'affaire des frères Horteur.

Je m'approche, Kaminsky s'inquiète, mais ne dit rien, me laisse faire.

— Olivier ! je lui dis.

Il frémit de joie, son visage s'illumine. Son visage meurtri, vieilli, ruiné, raviné par la vie. Puisque c'est la vie, cette vie-ci, notre vie, qui fait le travail de la mort.

— Tu m'as reconnu ? s'exclame-t-il.

Non, je ne l'ai pas reconnu. Il n'est pas reconnaissable, d'ailleurs. Je lui ai tourné autour, je l'ai supputé, je l'ai reconstitué. Olivier Cretté, mécanicien dans un garage de Villeneuve-sur-Yonne, du groupe des frères Horteur. J'étais à Auxerre, à la prison d'Auxerre, quand ils ont fusillé l'un des frères Horteur. Toute la section allemande de la prison d'Auxerre gueulait des mots d'ordre antifascistes et patriotiques, chantait *La Marseillaise*, pour dire adieu au plus jeune des frères Horteur : un vacarme indescriptible, cris, chants, coups de gamelle sur les barreaux des grilles.

Non, je ne l'ai pas reconnu. Mais je ne peux pas lui dire qu'il est méconnaissable.

— Bien sûr, lui dis-je. Olivier Cretté, garagiste.

Il en pleurerait, le gars. De joie, bien sûr. La joie de n'être plus seul.

Je m'adresse à Kaminsky. Ici, mon copain, *Reichsdeutscher*, Allemand du Reich, avec son brassard de *Lagerschutz*, c'est l'autorité, le pouvoir incarné. Je m'adresse à lui en espagnol.

— *Aquel francés*, je lui dis, *que entre. Le conozco : resistente.*

Le Français là-bas, lui dis-je, qu'il entre, je le connais : résistant.

— *Aquel viejito ?*

Ce petit vieux ? me demande-t-il. Mais oui, ce petit vieux, Olivier Cretté, garagiste, trente ans tout au plus.

Kaminsky donne quelques ordres brefs. En russe, pour faire vite. D'ailleurs, il a dit plusieurs fois le mot *bistro* ! Le jeune Russe qui fait certainement partie du gang de Nikolaï fait franchir à Olivier le dernier barrage qui le sépare de la consultation médicale.

— Merci, vieux ! me dit celui-ci.

Il regarde attentivement mon numéro, la lettre d'identification nationale.

— T'es espagnol ? J'savais pas... En tout cas, t'es une huile.

Il hoche la tête.

— Je peux te dire : ça m'étonne pas !

C'est énigmatique. Mais je n'ai pas le temps d'élucider. Ni l'envie, d'ailleurs. Kaminsky s'impatiente.

— T'as quoi ? je lui demande.

— La chiasse. Je m'en vais à vau-la merde... J'en peux plus !

— Tu travailles où ?

— Par-ci par-là, des petits boulots ! Au hasard de l'embauche, des besoins des kapos, le matin, sur la place d'appel...

— T'es pas mécanicien ?

— Si, me dit-il. Qui ça intéresse ?

— Moi, je lui dis.

Il ouvre de grands yeux.

— Fais-toi soigner. Et puis viens me voir à l'*Arbeit*, j'y travaille. N'importe quel jour, juste avant ou après l'appel du soir !

— Et je demande Gérard ?

— Si tu tombes sur un Français, tu demandes Gérard ; sinon, tu demandes l'Espagnol. C'est tout simple, de toute façon, je suis là, tu me verras !

Mais Kaminsky en a assez. Il attrape le bras d'Olivier et le conduit vers la consultation. Pour être réglo jusqu'au bout, il place quand même Olivier dans la file d'attente du médecin déporté français qui est de garde aujourd'hui. Ainsi, il pourra vraiment s'expliquer.

Kaminsky m'a d'abord conduit chez le kapo de l'infirmerie, Ernst Busse, un communiste allemand. L'un des plus vétérans communistes de Buchenwald, avais-je cru comprendre.

Massif, le cheveu ras, la mâchoire carrée, Busse n'était sûrement pas une mauviette. Je l'avais déjà vu à l'*Arbeit*, en visite chez Seifert. Son regard était inoubliable : tant de froideur déterminée, désespérée ; une telle acuité glaciale.

Il n'a pas de temps à perdre avec des salamalecs.

— On va t'installer dans la salle des sans-espoir, me dit-il. À côté de ton futur cadavre.

Il esquisse un geste, comme pour s'excuser de sa formule. Mais j'ai compris, il voit que j'ai compris, il poursuit.

— Tu es né coiffé, à propos. *Mit der Glückshaube bist du geboren !*

Je constate que l'expression allemande est identique à la française. Je persiste à trouver que la « fleur dans le cul » espagnole est plus amusante pour nommer la chance. Je ne sais pas encore qu'il y a aussi des formules françaises qui parlent de cul. Qui tournent autour du cul. À Buchenwald même, c'est Fernand Barizon, un copain communiste, métallo, ancien des Brigades, qui me fera connaître ces expressions. Plus tard, beaucoup plus tard, c'est une femme, une très belle femme, — la seule que je connaisse à parler encore naturellement, sans affectation ni afféterie, le parigot populaire, idiome inventif, plein d'humour et de trouvailles langagières — qui emploiera devant moi ces expressions désignant la chance : « T'as le cul bordé de médailles ! », ou, encore plus étrange, plus ordurier aussi, « T'as le cul bordé de nouilles ! »

Quoi qu'il en soit, dans le bureau de Busse, au *Revier* de Buchenwald, je n'ai ni le temps ni la possibilité de me laisser aller à des divagations de linguistique comparée.

Busse continue.

— Le jeune Français ne survivra pas à cette nuit ! Demain matin, nous aurons le temps, selon les nouvelles de Berlin, d'enregistrer la mort sous son nom ou le tien...

Je sais tout ça, Kaminsky me l'a déjà expliqué. Sans doute Ernst Busse veut-il souligner le rôle qu'il joue dans cette affaire.

— Le seul pépin possible, cette nuit, ajoute-t-il, c'est qu'il y ait une virée SS au *Revier*. Ils fêtent l'anniversaire de l'un de leurs médecins. Ils vont boire à mourir. Dans ces cas-là, ils improvisent parfois des visites d'inspection, quelle que soit l'heure... Ça les amuse de foutre la merde. Si ça arrive, on te fera une piqûre. Ne t'en fais pas, t'auras une fièvre de cheval, c'est tout. Demain, tu ne seras pas frais, mais tu seras vivant.

Il me regarde.

— Tu n'es pas gros, c'est vrai, mais tu n'as pas l'air d'un mourant, pas du tout... Vaut mieux que tu délires un peu, le cas échéant... S'ils viennent, on leur dira qu'on craint dans ton cas une maladie infectieuse. Ils ont horreur des maladies infectieuses...

C'est tout, il fait un geste d'adieu. Kaminsky me fait sortir du bureau, m'accompagne dans les couloirs du *Revier.*

— Ton vieux Français de tout à l'heure, me dit-il soudain, c'était inutile... Il n'en a plus pour longtemps !

C'est sans doute vrai, mais ça m'emmerde qu'il me le dise.

— D'abord, il n'est pas vieux ! Et puis on ne sait jamais.

Kaminsky hausse les épaules.

— Mais si, on sait, on ne sait que trop... T'as vu son regard ? Il est sur le point d'abandonner.

Le regard, en effet.

C'est au regard qu'on s'aperçoit du changement soudain, de la fêlure, lorsque la détresse atteint à un point de non-retour. Au regard subitement éteint, atone, indifférent. Lorsque le regard n'est plus la preuve, même douloureuse, angoissée, d'une présence ; lorsqu'il n'est plus qu'un signe d'absence à soi-même et au monde. Alors, on comprend, en effet, que l'homme est en train de lâcher prise, de lâcher pied, comme si ça n'avait plus de sens de s'obstiner à vivre ; alors, on saisit dans l'absence à quoi se résume le regard qu'on avait peut-être connu vif, curieux, indigné, rieur, on comprend que l'homme, inconnu, anonyme, ou un camarade dont on sait l'histoire personnelle, est en train de succomber au vertige du néant, à la fascination médusante de la Gorgone.

— Inutile, répète Kaminsky.

Il m'emmerde, de me dire ça. Il a sans doute raison, mais il m'emmerde.

— Pas pour moi, je lui dis, de mauvaise humeur.

Il s'arrête et me fixe, sourcils froncés.

— Tu veux dire quoi ?

— Je veux dire ce que je dis, lui dis-je. Que ce n'était pas inutile, pour moi, de lui venir en aide, même d'une manière aussi minime, anodine.

— Tu te sens mieux, c'est ça ? Tu te sens meilleur, même ?

— Ce n'est pas ça. Mais même si c'était ça, c'est interdit ?

— Ce n'est pas interdit, c'est inutile ! Un luxe petit-bourgeois !

Il n'a pas dit *kleinbürgerlich*, il a dit pire. Il a dit *spiessbürgerlich*, ça aggrave les connotations de mesquinerie, d'étroitesse d'esprit, d'égoïsme attribuées généralement à cet adjectif, « petit-bourgeois ».

Je sais ce qu'il veut dire, nous en avons déjà discuté. Pour lui, se faire plaisir en faisant un geste, même si c'est du côté du bien, c'est dérisoire, ça ne compte pas. S'il y a une morale, ici, ce n'est pas celle de la pitié, de la compassion, moins que jamais une morale individuelle. C'est celle de la solidarité. Une solidarité de résistance, bien sûr : une morale de résistance collective. Provisoire, certes, mais contraignante. Non applicable dans d'autres circonstances historiques, mais nécessaire à Buchenwald.

— Depuis que tu es ici, je lui demande, tu n'as jamais partagé ton morceau de pain avec un camarade pour qui c'était déjà trop tard ? Tu n'as jamais fait un geste inutile, du point de vue de la survie de l'autre ?

Il hausse les épaules : bien sûr que ça lui est arrivé !

— C'était une autre époque... C'étaient les « triangles verts », les criminels, qui commandaient, nous n'avions pas les structures de résistance d'aujourd'hui. L'action individuelle, l'exemple individuel étaient décisifs...

Je l'interromps.

— Les structures dont tu parles sont clandestines... Leur effet, pour important qu'il soit, n'est pas toujours visible ; la plupart des déportés l'ignorent ou l'interprètent mal. Ce qui est visible, en revanche, c'est votre statut particulier, vos privilèges de *Prominenten*... Un beau geste inutile, de temps en temps, ça ne ferait pas de mal...

Mais il semble que nous sommes arrivés au bout des couloirs du *Revier*. Il me montre une porte.

— C'est là, on t'attend.

Il me serre le bras.

— La nuit va être longue parmi tous ces moribonds et ces cadavres... Et puis ça schlingue, ça pue la merde et la mort... À quoi tu vas penser, pour te distraire ?

Ce n'est pas vraiment une question. C'est une façon de dire au revoir. J'entre dans la salle du *Revier* où l'on m'attend.

On m'a fait laisser mes vêtements dans une sorte de vestiaire, en échange d'une liquette sans col, étriquée, en toile rugueuse, trop courte pour cacher mes vergognes, dirais-je en traduisant littéralement de l'espagnol (mes organes génitaux, autrement dit).

On m'a allongé à côté du mourant dont je prendrais la place, le cas échéant.

Je vivrai sous son nom, il mourra sous le mien. Il me donnera sa mort, en somme, pour que je puisse continuer à vivre. Nous échangerons nos noms, ce n'est pas rien. C'est sous mon nom qu'il partira en fumée ; c'est sous le sien que je survivrai, si ça se trouve.

Et ça me fait froid dans le dos — ça pourrait me faire rire aussi, d'un rire grinçant et fou — de savoir quel nom je porterai, au cas où la demande de Berlin serait vraiment préoccupante.

À peine allongé sur le châlit, en effet, aux côtés du mort qu'il faut, comme disait Kaminsky, ce matin, un mort qui s'avérait d'ailleurs n'être qu'un mourant, j'ai voulu voir son visage. Curiosité légitime, on peut l'admettre.

Mais il me tournait le dos, maigre gisant nu — probablement enlevait-on les liquettes de toile rêche à ceux qui étaient déjà au-delà de la vie —, squelette recouvert d'une peau grise et ridée, aux cuisses et aux fesses bistrées par une couche de liquide fécal séché, mais toujours puant.

Lentement, je lui ai à moitié retourné le torse.

J'aurais dû m'y attendre.

« Ton âge, à quelques semaines près », avait dit Kaminsky, ce matin, me parlant du mort qu'ils avaient trouvé, qui me convenait tout à fait. « Une chance inouïe, un étudiant comme toi, parisien de surcroît ! »

J'aurais dû y penser. C'était trop beau pour être vraisemblable, mais c'était vrai.

J'étais allongé à côté du jeune Musulman français disparu depuis deux dimanches de la baraque des latrines collectives où je l'avais rencontré. J'étais allongé à côté de François L.

J'avais fini par savoir son nom, il me l'avait dit. Et c'est ça qui me faisait grincer des dents, dans un rire épouvanté.

Car François, arrivé à Buchenwald dans le même transport de Compiègne que moi, immatriculé au camp à quelques numéros de distance du mien, était le fils, en révolte et répudié, certes, le fils pourtant, de l'un des chefs les plus actifs et sinistres de la Milice française.

Le cas échéant, c'est le nom d'un milicien pronazi que j'aurais à porter, pour survivre.

J'ai retourné son corps, pour lui faire face, pour qu'il me montre son visage.

Pas seulement pour ne plus voir ses reins souillés de merde liquide, maintenant desséchée. Aussi pour guetter les soubresauts possibles de la vie, si on pouvait encore nommer ainsi ce souffle court, presque imperceptible, ce battement de sang aléatoire, ces mouvements spasmodiques.

Pour entendre ses derniers mots, s'il y avait derniers mots.

Allongé à côté de lui, j'ai guetté sur ce visage les derniers signes de vie.

Dans *L'espoir*, que j'emportais avec moi pour en relire des pages, les dernières semaines d'avant mon arrestation, un épisode m'avait frappé.

Touché par la chasse franquiste, un avion de l'escadrille internationale qu'André Malraux avait créée et commandait revient en feu à la base. Il réussit à atterrir, dévoré par les flammes. Des débris de l'appareil, on retire des blessés et des morts. Parmi ceux-ci, le cadavre de Marcelino. Comme il « avait été tué d'une balle dans la nuque, il était peu ensanglanté, écrit Malraux. Malgré la tragique fixité des yeux que personne n'avait fermés, malgré la lumière sinistre, le masque était beau ».

Le cadavre de Marcelino est allongé sur une table du bar de l'aéroport. En le contemplant, l'une des serveuses espagnoles dit ceci : « Il faut au moins une heure pour qu'on commence à voir l'âme. » Et Malraux de conclure, un peu plus loin : « C'est seulement une heure après la mort que, du masque des hommes, commence à sourdre leur vrai visage. »

Je regardais François L. et je pensais à cette page de *L'espoir.*

Son âme l'avait déjà quitté, j'en étais certain. Son vrai visage avait déjà été défait, détruit, il ne sourdrait plus jamais de ce masque terrifiant. Non pas tragique, mais obscène. Nulle sérénité ne pourrait jamais plus adoucir les traits tirés, ravagés, du visage de François. Nul repos n'était plus concevable dans ce regard abasourdi, indigné, plein d'inutile colère. François n'était pas encore mort mais il était déjà abandonné.

Par qui, seigneur ? Était-ce son âme qui avait abandonné ce corps martyrisé, souillé, frêle ossature cassante comme du bois mort, à brûler dans un four du crématoire, bientôt ? Mais qui avait abandonné cette âme fière et noble, éprise de justice ?

Quand la Gestapo l'avait arrêté, m'avait dit François, et qu'elle l'avait identifié, les policiers allemands avaient demandé à son père, allié fidèle, collaborateur efficace dans le travail de répression, ce qu'il voulait qu'on fît de lui. Devait-on l'épargner ? Ils étaient prêts à faire une exception. « Qu'on le traite comme les autres, comme n'importe quel autre ennemi, sans pitié particulière », avait répondu le père, un agrégé de lettres, féru de culture classique et de belle prose française. « C'est fou ce que la perfection de la prose attire les hommes de droite ! » s'était esclaffé François lors de notre conversation dans la baraque des latrines collectives. Notre seule et interminable conversation. Il m'avait parlé ce jour-là de Jacques Chardonne, de la présence de celui-ci, deux ans auparavant, à un congrès d'écrivains à Weimar, précisément, sous la présidence de Joseph Goebbels. « Tu n'as pas lu les textes de Chardonne dans *La NRF* ? » m'avait demandé François.

Non, je n'avais pas lu, pas retenu, en tout cas.

Maurrassien, antisémite éclairé — je veux dire, qu'on

ne s'y trompe pas, citant Voltaire plutôt que Céline quand il dénonçait la « malfaisance des Juifs, déracinés par essence », « incapables d'émotion patriotique et voués au culte du Veau d'or » : telles étaient les formules stéréotypées —, le père de François avait été projeté par la défaite de 1940 dans un activisme pronazi nourri de désarroi désespéré, de nihilisme antibourgeois.

Homme de culture, il était devenu homme de guerre avec passion. Puisqu'il fallait se battre, autant le faire en première ligne, les armes à la main, dans la Milice de Darnand.

« Qu'on le traite comme les autres, comme n'importe quel autre ennemi », avait dit son père aux types de la Gestapo.

Probablement croyait-il s'inscrire par là dans la tradition morale des stoïciens.

Les policiers nazis avaient donc interrogé François comme les autres, tous les autres : sans pitié, en effet.

Je regardais François L., je pensais que je ne verrais pas apparaître son âme, son vrai visage. C'était déjà trop tard. Je commençais à comprendre que la mort des camps, la mort des déportés, est singulière. Elle n'est pas, comme toute autre mort, comme toutes les morts, violentes ou naturelles, le signe désolant ou consolant d'une finitude inéluctable ; elle ne vient pas, dans le cours de la vie, dans le mouvement de celle-ci, clore une vie. D'une certaine manière, dans toutes les autres morts, cette fin pouvait faire surgir l'apparence du repos, de la sérénité sur le visage du trépassé.

La mort des déportés n'ouvre pas la possibilité de voir affleurer l'âme, sourdre le vrai visage sous le masque social de la vie qu'on s'est faite et qui vous a défait. Elle n'est plus la réponse de l'espèce humaine au problème du destin individuel : réponse angoissante, ou révoltante, pour chacun d'entre les hommes, mais compréhensible pour la communauté des hommes dans leur ensemble, dans leur appartenance à l'espèce, précisément. Parce que la conscience de sa finitude est inhérente à l'espèce, dans la mesure où elle est humaine, où elle se distingue par là de toute espèce animale. Parce que la conscience de cette finitude la constitue en tant qu'espèce humaine. Imagine-t-on, en effet, l'horreur d'une humanité privée de son essentielle finitude, vouée à l'angoisse prétentieuse de l'immortalité ?

La mort des déportés — celle de François, à l'instant, sous mes yeux, à portée de ma main — vient au contraire ouvrir un questionnement infini. Même quand elle prend quasiment la forme d'une mort naturelle, par épuisement des énergies vitales, elle est scandaleusement singulière : elle met radicalement en question tout savoir et toute sagesse à son sujet.

Il suffit de regarder, aujourd'hui encore, tant d'années plus tard, un demi-siècle plus tard, les photographies qui en témoignent, pour constater à quel point l'interrogation absolue, frénétique, de cette mort, est restée sans réponse.

Je regardais le visage de François L., sur lequel on ne verrait pas apparaître l'âme, une heure après sa mort. Ni une heure, ni jamais. L'âme, c'est-à-dire la curiosité, le goût des risques de la vie, la générosité de l'être-avec, de l'être-pour, la capacité d'être autre, en somme, d'être en avant de soi par le désir et le projet, mais aussi de perdurer dans la mémoire, dans l'enracinement, l'appartenance ; l'âme, en un mot sans doute facile, par trop commode, mais clair cependant, l'âme avait depuis longtemps quitté le corps de François, déserté son visage, vidé son regard en s'absentant.

Der Wind hat mir ein Lied erzählt...

La voix de Zarah Leander, de nouveau. Sa voix rauque, mordorée, sensuelle.

Au début de l'après-midi, après l'appel dominical, tout à l'heure, elle a soudain envahi, comme une eau de ruisseau murmurante, le réfectoire de l'aile C du block 40.

« Envahir » n'est peut-être pas le verbe qu'il faut : trop rude. La voix a investi, plutôt, imbibé, saturé l'espace. Tout le monde s'est tu, le temps de laisser cette voix s'installer dans nos vies, s'approprier nos mémoires.

La voici, de nouveau.

Der Wind hat mir ein Lied erzählt
von einem Glück unsagbar schön...

Ce n'étaient pas les mêmes paroles que tout à l'heure. Mais c'était la même chanson, le même amour, la même tristesse : la vie. La vraie vie du dehors, d'avant, cette légèreté, cette futilité désolantes et précieuses qui avaient été la vie.

Tout à l'heure, Sebatián Manglano avait couru vers le

dortoir, vers la solitude dominicale et délicieuse de la grande masturbation, *la gran paja*.

Il riait aux éclats, d'avance.

Pour l'instant, je l'avoue, la voix de Zarah Leander ne me fait pas bander. Sans doute ai-je des circonstances atténuantes.

Je me demande, me laissant submerger par cette voix somptueuse, suave et soyeuse, quelle serait la réaction de Sebastián Manglano, dans la même situation.

Au réveil, il me tenait régulièrement au courant des avatars de son *Alejandro Magno*.

C'était dans la salle d'eau, lors de la toilette matinale.

Nous avions pour habitude, pour discipline de survie, de nous lever dès le premier coup de sifflet, de foncer vers la salle d'eau, torse nu, pieds nus, avant la cohue du réveil massif des déportés. L'eau était glaciale, le succédané de savon ne garantissait pas un décrassage efficace, mais c'était un rite à respecter absolument. Il fallait se frotter à l'eau froide, au savon sablonneux, le visage et le torse, le creux des aisselles, les couilles et les pieds. Longuement, vigoureusement, jusqu'à ce que la peau soit lavée des odeurs crasseuses de la nuit, de la promiscuité, jusqu'à ce qu'elle rougisse.

Cesser de faire ces gestes que nous accomplissions chaque matin, sans même réfléchir, bêtement, aurait été le commencement de la fin, le début de l'abandon, le premier signe d'une défaite annoncée.

Si on remarquait qu'un copain négligeait de faire sa toilette matinale et que, de surcroît, son regard s'éteignait, il fallait aussitôt intervenir. Lui parler, le faire parler, l'intéresser de nouveau au monde, à lui-même. Le désintérêt, le désamour de soi, d'une certaine idée de soi-même, était le premier pas sur le chemin de l'abandon.

Quand j'étais seul, quand Manglano, mon copain de châlit, faisait partie de l'équipe de nuit sur la chaîne de la Gustloff, je fonçais dans la salle d'eau dès le premier coup de sifflet et le premier beuglement du *Stubendienst* dans le dortoir.

Ces jours-là, je me récitais des poèmes en français. Celui de Rimbaud, *« À quatre heures du matin l'été / le sommeil d'amour dure encore... »*, particulièrement bienvenu, satisfaisait mon goût invétéré de la dérision.

Lorsque Manglano était seul, moi en équipe de nuit à l'*Arbeit*, je ne sais pas comment il procédait, bien évidemment. Mais lorsque nous nous réveillions ensemble, parce que nos horaires de travail coïncidaient, nous courions de concert vers la salle d'eau. Ces jours-là, nous récitions à tue-tête des poèmes espagnols de la guerre civile, de Rafael Alberti, César Vallejo, Miguel Hernández. C'était efficace, en guise de mise en train pour une nouvelle journée de faim et d'agonie. De colère aussi : la colère tient chaud.

Régulièrement, donc, Manglano me tenait au courant de l'état de son Alexandre. Les jours où il me confiait avoir fait des rêves érotiques extrêmement précis, qui l'avaient durci, je le mettais en boîte en lui disant que je n'avais rien senti, malgré l'étroite promiscuité du châlit. Il s'indignait, ne tolérant pas qu'on mette en doute sa masculinité triomphante. « La prochaine fois que je bande, s'exclamait-il, je te réveille et tu me la suces ! » *Te despierto y me la chupas !* « Ne rêve pas, je lui rétorquais, ce bonheur-là ne va pas te tomber dessus ! » *Ni soñarlo : no te caerá esa breva !*

En somme, on essayait tous les deux de commencer nos journées dans le meilleur esprit possible.

Der Wind hat mir ein Lied erzählt
von einem Herzen, das mir fehlt...

J'écoutais la voix de Zarah Leander, je me laissais engourdir par elle.

Allongé à côté de François L., je me préparais à survivre à cette nuit, qui pouvait être celle de ma mort. Je veux dire, de ma mort officielle, administrative, qui entraînerait la disparition de mon nom. Disparition provisoire, bien sûr. C'était assez troublant de penser à la résurrection, au retour à ma propre identité, après que j'aurais usurpé celle de François.

D'habitude, quand on n'était que deux sur une litière (au Petit Camp, dans les baraquements mouroirs pour invalides et Musulmans, ils étaient parfois à trois ou quatre sur un unique espace de châlit), on s'allongeait tête-bêche. Les corps s'adaptaient mieux l'un à l'autre dans cette position, on gagnait de la place.

Mais au *Revier* je me suis allongé dans le même sens que François, afin de pouvoir regarder son visage. Afin de pouvoir guetter sur son visage les signes de la vie et ceux de la mort.

Il était arrivé à Buchenwald avec le même convoi de Compiègne que moi. Peut-être dans le même wagon, ce n'était pas impossible. En tout cas, l'histoire de ce voyage, qu'il m'avait racontée, ressemblait à la mienne. Rien d'étonnant, à vrai dire, toutes nos histoires se ressemblaient. Nous avions tous fait le même voyage.

Il était le seul de son groupe dans le train, m'avait-il dit.

Les camarades de son réseau avaient été pour la plupart fusillés. L'un d'entre eux, son plus proche ami, était mort sous la torture. À Compiègne, il était seul. Seul aussi dans le train de Weimar. Les rumeurs du dernier jour, au camp de Royallieu, lui avaient susurré qu'on avait de la chance : notre lieu de destination était un camp forestier, très sain.

D'ailleurs, son nom l'indiquait bien : Buchenwald, le « bois de hêtres ».

« Si je tiens le coup, m'avait-il dit dans les latrines, si j'arrive à m'en sortir, j'écrirai sûrement quelque chose à ce propos. Depuis quelque temps, c'est une idée, ce projet d'écriture, qui semble me donner des forces. Mais si j'écris un jour, je ne serai pas seul dans mon récit, je m'inventerai un compagnon de voyage. Quelqu'un avec qui parler, après tant de semaines de silence et de solitude. Au secret ou dans la salle des interrogatoires : voilà ma vie ces derniers mois ! »

« Si j'en reviens et que j'écris, je te mettrai dans mon récit, me disait-il. Tu veux bien ? » « Mais tu ne sais rien de moi ! lui disais-je. À quoi je vais servir, dans ton histoire ? » Il en savait assez, affirmait-il, pour faire de moi un personnage de fiction. « Car tu deviendras un personnage de fiction, mon vieux, même si je n'invente rien ! »

Quinze ans plus tard, à Madrid, dans un appartement clandestin, je suivrais son conseil en commençant à écrire *Le grand voyage.* J'inventerais le gars de Semur pour me tenir compagnie dans le wagon. Nous avons fait ce voyage ensemble, dans la fiction, j'ai ainsi effacé ma solitude dans la réalité. À quoi bon écrire des livres si on n'invente pas la vérité ? Ou, encore mieux, la vraisemblance ?

En tout cas, nous étions arrivés ensemble à Buchenwald, François et moi.

Ensemble, parmi la même foule que le hasard avait rassemblée dans la salle des douches, nous avions subi les épreuves initiatiques de la désinfection, du rasage, de l'habillement.

Vêtus à la va-vite des hardes qu'on venait de nous jeter à la figure, le long du comptoir de l'*Effektenkammer,* nous nous étions trouvés très près l'un de l'autre, nos numéros d'immatriculation l'attestaient, devant les détenus allemands qui établissaient nos fiches personnelles.

François, dans la baraque des latrines du Petit Camp, ce dimanche de décembre où les Américains s'accrochaient aux ruines de Bastogne, avait beaucoup apprécié ma discussion avec le vétéran communiste allemand, demeuré anonyme, inconnu, qui ne voulait pas m'inscrire comme étudiant de philosophie, *Philosophiestudent.* « Ici, ce n'est pas une profession, me disait-il, *Kein Beruf !* » Et moi, du haut de l'arrogance imbécile de mes vingt ans, du haut de ma connaissance de la langue allemande, je lui avais lancé : *« Kein Beruf aber eine Berufung ! »*, pas une profession, mais une vocation ! De guerre lasse, avais-je dit à François, voyant que je ne voulais rien comprendre le détenu allemand m'avait renvoyé d'un geste irrité. Et il avait sans doute tapé sur sa vieille machine à écrire : *Philosophiestudent.*

François appréciait l'anecdote.

Lui, en tout cas, avait répondu *Student* à la question rituelle sur sa profession ou son métier. Étudiant, sans plus, sans préciser la spécificité de ses études. « Latiniste ! s'exclamait François. Tu te rends compte, la tête qu'il aurait faite, le mien, si j'avais répondu "latiniste" ! »

Le détenu allemand qui établissait la fiche de François l'avait regardé, avait haussé les épaules, mais n'avait fait aucun commentaire, ni essayé de le dissuader.

Er weiss was meinem Herzen fehlt.
Für wen es schlägt und glüht…

François est immobile, les yeux fermés, est-il encore vivant ? J'approche ma bouche de la sienne, à l'effleurer. Il est encore vivant, oui, un souffle tiède, presque imperceptible, s'exhale de ses lèvres.

Pendant la quarantaine, nous étions voisins : il avait été affecté au block 61, moi-même au 62.

Mais son histoire a très vite mal tourné, la malchance s'est acharnée sur lui.

D'abord, un groupe de résistants gaullistes qui l'avaient découvert et adopté, dès les premiers jours de quarantaine (« Je n'étais plus seul, pour la première fois depuis mon arrestation ! » me disait-il, encore exalté), ce groupe avait été envoyé en transport, peu de temps après. François était allé trouver le chef de block du 61, pour lui demander de l'inscrire sur la liste du convoi avec ses camarades. « T'es fou ! s'était écrié l'autre, tu ne sais pas ce que tu dis ! Ce transport-là, c'est pour Dora ! T'as de la chance de ne pas en être ! »

Dora ? Ce prénom féminin ne disait rien à François, bien sûr. L'Allemand lui avait expliqué, en quelques mots : Dora, c'était une usine souterraine en construction, où les nazis commençaient à produire des armes secrètes. Il avait baissé la voix pour lui dire ce qu'étaient ces armes. *Raketen !* François n'avait pas compris tout de suite. *Raketen ?* Il avait dû faire un effort de mémoire, une recherche mentale, pour retrouver le sens du mot. Des fusées, c'est ça ! En tout cas, c'était le camp extérieur le plus terrible, le plus mortifère de Buchenwald ! C'étaient les « triangle vert », les criminels de droit commun, à qui les SS avaient confié l'administration du camp, le pouvoir interne. Les cadences étaient terrifiantes, les bastonnades perpétuelles. On travaillait au creusement d'un tunnel, dans la poussière qui attaquait les poumons. Buchenwald, c'était un sana, en comparaison !

François insista pourtant pour figurer sur la liste du transport. Quelle que fût l'horreur de Dora, il n'y serait pas seul : il avait retrouvé un groupe de vrais résistants, une appartenance, une possibilité d'échange, de paroles communes, de rêves à partager.

Le chef de block du 61 avait regardé François, son apparence fragile d'adolescent bourgeois. Il avait hoché la tête, négativement. « Écoute, lui avait-il dit en lui offrant une moitié de cigarette, tu parles l'allemand, fort bien d'ailleurs, tu trouveras du travail ici, dans l'un des bureaux. Maintenant qu'il y a de plus en plus de déportés non allemands, nous avons besoin d'étrangers qui parlent la langue officielle. » François avait pensé que la langue officielle se réduisait à quelques mots de commandement haineux, *Los, los ! Schnell ! Scheisse, Scheisskerl ! Du Schwein ! Zu fünf !* Mais peut-être parlait-on une autre langue, dans les bureaux, peut-être y parlait-on l'allemand véritable.

Bref, François n'avait pas réussi à convaincre son chef de block, il resta à Buchenwald. Et il se retrouva de nouveau seul, à peine soulagé par le fait que l'autre en avait fait son interprète, *Dolmetscher.*

Quelques jours plus tard, François avait été pris dans une corvée de carrière, *Steinbruch.* Mais il n'avait pas eu la chance de tomber, comme moi, sur un ange gardien russe. Personne ne l'avait aidé à porter la lourde pierre que le sous-off SS lui avait attribuée. Personne ne l'avait appelé *Tovaritch.* Il avait été tellement tabassé par le *Scharführer* qu'il avait dû être admis à l'infirmerie, avec des lésions et des fractures multiples.

De là datait son infortune.

Sa sortie du *Revier* coïncida avec la fin de la période de quarantaine, avec son arrivée au Grand Camp. Mais son état physique déplorable, sa semi-invalidité, le marginalisèrent, l'excluant du système de production. À l'aube, sur la place d'appel, il restait parmi les quelques centaines de déportés n'ayant pas d'affectation stable, permanente, à un kommando de travail. Les kapos venaient recruter dans cette masse anonyme la main-d'œuvre dont ils avaient besoin épisodiquement, pour remplacer des déportés absents, morts ou exemptés de travail par un billet de *Schonung*, ou bien pour des tâches non qualifiées et précaires dans quelque kommando de voirie ou de terrassement.

En somme, les seuls postes de travail qui étaient accessibles à François étaient ceux pour lesquels il fallait justement être costaud et en bonne santé : chaque journée dans l'un des kommandos où il était envoyé l'enfonçait davantage dans la misère physique et morale.

Deux mois de souffrance et de déréliction plus tard, François fut renvoyé au Petit Camp, dans l'un des baraquements où croupissaient les invalides et les exclus, marginalisés par le despotisme productiviste du système de travail forcé, les Musulmans.

Der Wind hat mir ein Lied erzählt
von einem Glück unsagbar schön.
Er weiss was meinem Herzen fehlt...

Je reconnais soudain les paroles.

La mélodie m'échappe, en revanche, je ne la reconnais pas. Il faut dire que je ne suis pas doué pour retenir ou reconnaître les mélodies. Pour les reproduire non plus : je chante faux, je suis désaccordé comme un vieux piano !

Quand on était jeune, il y a des siècles, il y a tant de nuits, tant de morts et de vies, et qu'on chantait en chœur *La jeune garde*, ou *Le temps des cerises*, ou *El ejército del Ebro*, il y avait toujours un copain, une copine, qui portait ses mains aux oreilles, dans un geste de rejet, d'étonnement : je fichais en l'air l'entente du chant choral, son harmonie.

Je ne reconnais pas la mélodie, donc, mais les paroles, soudain, me sont familières. *Der Wind*, mais bien sûr, *der Wind hat mir ein Lied erzählt !*

Ce n'est pas Zarah Leander, c'est Ingrid Caven, le 28 novembre 2000, sur la scène de l'Odéon.

D'une démarche à la fois souple et saccadée, fluide et anguleuse, elle a pris possession de l'espace scénique. Elle a rendu habitable le grand vide de la scène, marqué son territoire de son pas dansant, félin, autoritaire pourtant. Je veux dire, dégageant une aura charnelle de présence indiscutable.

Au tout début, j'ai à peine prêté attention à la voix, à sa façon de casser les mélodies, les rythmes établis, les routines du chant, de rebondir dans le contralto.

J'étais quasiment fasciné par sa maîtrise à habiter cet espace, à l'occuper, à le rendre visible et vivant dans la fluidité de ses mouvements.

C'est une bête de scène, un beau fauve automnal et roux, qui semble rajeunir à vue d'œil, à mesure que le temps passe, que la scène se domestique, que la salle est conquise, la nostalgie ravivée, devenue envie d'avenir.

Ensuite, la voix s'est imposée.

Une voix capable de roucouler, de s'iriser dans le glissando, de s'exaspérer dans les aigus et les graves, de se casser ou de s'éteindre voluptueusement, pour renaître dans l'insolence.

Les paroles, soudain, les paroles des dimanches d'autrefois, à Buchenwald.

Aucun endroit ne se prête pourtant, à première vue, aussi mal, aussi peu, à la splendeur, à la douleur de la mémoire, que cette salle de l'Odéon, le 28 novembre 2000.

À ceci près qu'il y a l'Allemagne à l'arrière-plan.

Deutschland, bleiche Mutter, me suis-je dit en entendant les premières chansons allemandes du récital d'Ingrid Caven, Allemagne, mère blafarde !

Je me suis souvenu de Julia, aussitôt, de la rue Visconti. Julia m'avait parlé de Brecht, cette nuit lointaine. À l'Odéon, j'ai pensé qu'Ingrid Caven aurait pu — mais de quoi je me mêlais ! — composer un récital tout entier avec des poèmes de Brecht. Avec la violence et la tendresse et l'ironie des textes poétiques de Bertolt Brecht, qui semblent écrits pour elle : tendre, violente, ironique.

Je me suis souvenu des vers de Brecht que Julia m'avait récités, jadis : *Deutschland, du blondes, bleiches, / Wildwolkiges mit sanfter Stirn...*

C'est à l'Allemagne blonde, au visage blême comme dans les films du nouvel expressionnisme, à cette jeune Allemagne au front serein mais couronné de nuées sauvages, que j'ai pensé ce soir-là, en écoutant Ingrid Caven chanter les paroles d'autrefois, les mots de Zarah Leander dans les haut-parleurs de Buchenwald, le dimanche.

Quelques années auparavant, Klaus Michael Grüber m'avait demandé un texte dramatique sur la mémoire allemande : mémoire du deuil et deuil de la mémoire. Je l'avais nommé *Bleiche Mutter, zarte Schwester,* « mère blafarde, tendre sœur », et je l'avais construit autour du personnage de Carola Neher, que j'avais découverte dans un poème de Brecht. Blonde, pâle et belle, Carola Neher, comédienne fétiche des années vingt en Allemagne, exilée après la prise du pouvoir par Hitler, emprisonnée à Moscou lors d'une épuration stalinienne du milieu des années trente (*Säuberung,* « épuration » ou « purification », mot clé du XXe siècle, qu'elle ait été politique ou ethnique) disparue dans un camp du Goulag, Carola Neher me semblait incarner — comme Margarete Buber-Neumann, autre exemple — le destin de l'Allemagne.

Hanna Schygulla jouait le rôle de Carola Neher dans cette pièce que Grüber mit en scène pour une quinzaine de représentations, en plein air, au crépuscule, parmi les tombes d'un ancien cimetière militaire soviétique, à Weimar, au pied du château du Belvédère.

Ainsi, au milieu des dorures du théâtre de l'Odéon, les paroles d'une chanson allemande, dans la version d'Ingrid

Caven, moins mélodieuse, moins doucereuse, plus âpre, plus inquiétante, travaillant les tripes de la mémoire, me ramènent à un dimanche lointain dans le *Revier* de Buchenwald.

Me ramènent à l'orgueilleuse et mortifère solitude de ma singularité de revenant.

Probablement suis-je le seul, ce soir-là, dans ce lieu, à posséder une mémoire semblable, à être nourri et dévoré par ces images surgissant en tourbillon. Et je tiens à cette singularité, à ce privilège, même s'il me détruit. Car cette chanson n'évoque pas seulement l'ardeur de la jeunesse, elle annonce aussi, sans agressivité, de façon souriante et tendre, la proximité de la mort.

Allein bin ich in der Nacht,
meine Seele wacht..

C'est vrai : je suis seul dans la nuit, mon âme veille.

Quelque temps après mon installation dans le châlit, François a ouvert les yeux soudain, dans un soubresaut.

Nos visages étaient à quelques centimètres l'un de l'autre. Il m'a aussitôt reconnu.

— Non, pas toi, a-t-il dit d'une voix presque inaudible.

Non, pas moi, François, je ne vais pas mourir. Pas cette nuit, en tout cas, je te le promets. Je vais survivre à cette nuit, je vais essayer de survivre à beaucoup d'autres nuits, pour me souvenir.

Sans doute, et je te demande pardon d'avance, il m'arrivera d'oublier. Je ne pourrai pas vivre tout le temps dans cette mémoire, François : tu sais bien que c'est une mémoire mortifère. Mais je reviendrai à ce souvenir, comme on revient à la vie. Paradoxalement, du moins à première vue, à courte vue, je reviendrai à ce souvenir, délibérément, aux moments où il me faudra reprendre pied, remettre en question le monde, et moi-même dans le monde, repartir, relancer l'envie de vivre épuisée par l'opaque insignifiance de la vie. Je reviendrai à ce souvenir de la maison des morts, du mouroir de Buchenwald, pour retrouver le goût de la vie.

Je vais essayer de survivre pour me souvenir de toi. Pour

me souvenir des livres que tu as lus, dont tu m'as parlé, dans la baraque des latrines du Petit Camp.

Ce ne sera pas difficile, d'ailleurs. Nous avions lu les mêmes, aimé les mêmes. Dans un dernier sursaut de coquetterie intellectuelle, tu as voulu m'épater avec Blanchot. Mais *Aminadab* et *Thomas l'obscur* faisaient partie de mes découvertes de l'époque. Quant à Camus, pas l'ombre d'une discussion : *L'étranger* fut bien un coup de tonnerre dans nos deux vies. Et comme il n'était pas possible d'aborder le territoire de Camus sans faire quelque excursion métaphysique, nous nous mîmes aussitôt d'accord sur un point capital : de tous les philosophes français vivants c'était Merleau-Ponty le plus original. *La structure du comportement* était un livre novateur, par la place donnée au corps, à sa matérialité organique, à sa complexité réflexive, dans le champ de la recherche phénoménologique.

Il n'y avait que deux écrivains sur lesquels nous ne parvînmes pas, en une seule soirée, à accorder nos points de vue : Jean Giraudoux et William Faulkner.

François trouvait le premier trop précieux, trop maniéré. J'en connaissais par cœur de nombreux passages, je les lui récitai. Mes tirades ne faisaient que le conforter dans son opinion négative ; me confirmaient dans la mienne, ravie, éblouie. Voyant qu'il n'obtiendrait pas de moi un changement d'opinion sur les romans de Giraudoux, il s'en prit à son théâtre. Il proclama avec emphase qu'il donnerait tout l'œuvre dramatique de Giraudoux pour la seule *Antigone* d'Anouilh. Avec la même grandiloquence, je lui déclarai que la seule chose qui m'avait vraiment fait râler, lors de mon arrestation par la Gestapo, en septembre 1943 à Joigny, c'est qu'elle me faisait rater la première de *Sodome et Gomorrhe* !

Pour finir, constatant que rien n'y faisait, il dénonça l'antisémitisme, sans doute superficiel et de convention, indiscutable néanmoins, de certains textes de Giraudoux.

De mauvaise foi, je lui rétorquai que s'il n'aimait pas Giraudoux, ce n'était pas à cause de son antisémitisme supposé, c'était sans doute parce qu'il appréciait davantage, comme tous les gens de droite, la belle prose polie et pelousée, policée, de Jacques Chardonne, à l'opposé de l'exubérance giralducienne, en effet.

Bref, nous fîmes l'impasse sur Giraudoux.

Sur William Faulkner également.

Mais dans le cas de Faulkner, un enjeu personnel se mêla bientôt à notre désaccord littéraire. Ni l'un ni l'autre ne le formula clairement, il demeura à l'orée de la parole, à la frontière incertaine du non-dit.

Il n'était pas impossible, en effet, que François eût connu Jacqueline B., la jeune fille qui m'avait fait lire les romans de Faulkner. Elle apparut dans son récit à un moment donné. Apparut, du moins, une jeune fille qui lui ressemblait étrangement : ces yeux bleus, les longs cheveux noirs sur les épaules, la minceur, l'allure libre.

Dans le récit de François, elle était pieds nus, un jour d'été, place Furstenberg, sous une averse. Certes, ce n'est pas elle, ce fantôme, qui lui avait fait lire Faulkner ; François connaissait déjà l'écrivain américain. C'est Jacques Prévert que Jacqueline B. — ce ne pouvait être qu'elle : pieds nus, elle en avait l'habitude, l'été, en effet, visage dressé sous la pluie : elle sans doute —, c'est Prévert que la jeune fille lui avait fait connaître. J'étais dans le même cas : Jacqueline m'apportait à moi aussi des poèmes de Prévert tapés à la machine, feuilles volantes, insolentes, de poésie du quotidien.

Jamais je n'ai demandé à François le nom de la jeune fille qui vaguait dans ses récits. J'avais trop peur qu'il me confirme que c'était bien Jacqueline, Jacqueline B. Une fois, au détour d'un commentaire, il laissa supposer qu'il avait eu, comme on dit, une aventure avec elle, avec cette inconnue, innommée du moins, innommable pour moi. C'est ce que j'avais cru comprendre. Et l'idée que François avait pu tenir dans ses bras Jacqueline B., cette idée m'était insupportable.

Je préférais l'incertitude.

Ce non-dit, en tout cas, hanta la discussion proprement littéraire sur les romans de Faulkner, que François trouvait trop compliqués, tarabiscotés, trop arbitrairement construits : bref, ils le faisaient chier. Moi, je me souvenais de l'ardeur de Jacqueline quand elle me parlait de *Sartoris*. Voilà une chose que François n'avait pas partagée avec elle. On se console comme on peut.

Quelques mois plus tard, dans les premiers jours du joli mai, en 1945, une lettre de Jacqueline B. arriva à mon nom à l'adresse de ma famille : 47, rue Auguste-Rey, Gros-Noyer-Saint-Prix, Seine-et-Oise.

Je revenais de Buchenwald. J'avais juste eu le temps de voir tomber la neige, en bourrasque soudaine, sur les drapeaux du défilé ouvrier du 1er Mai. Juste le temps de constater à quel point la vraie vie était étrange, à quel point il serait difficile de m'y réhabituer. Ou de la réinventer.

Pourquoi s'est-on perdus de vue ? se demandait, me demandait Jacqueline B. C'est vrai, on s'était perdus de vue. On avait même failli se perdre de vie. C'était simple à expliquer, cependant. À partir d'un certain moment, le travail de Jean-Marie Action m'avait obligé à perdre de vue mes amis d'alors.

Jacqueline me donnait une adresse où la joindre, au cas où j'aurais envie de la revoir. J'avais envie, certainement. Elle habitait rue Claude-Bernard, un numéro impair. J'en suis sûr parce que je descendais la rue Gay-Lussac et que c'était sur le trottoir de droite, ensuite. Sans doute est-ce un détail insignifiant, une certitude qui n'a aucune importance. On peut parfaitement imaginer un récit qui occulterait cet insignifiant détail. Qui l'omettrait, pour aller à l'essentiel, au plus vif du sujet. Mais c'était un moment de flottement dans ma vie, ce mois de mai 1945, je ne savais pas très bien qui j'étais, ni pourquoi, ni à quoi bon, désormais. Alors, le rappel de ces détails insignifiants, de ces certitudes minimes, me conforte dans l'idée, pourtant discutable, volatile, de mon existence.

C'était bien moi, j'existais vraiment, le monde était présent, habitable, transitable du moins, puisque je me souviens que j'arrivais de la rue Gay-Lussac, que le trottoir des numéros impairs commençait à être à l'ombre — il y avait du soleil sur Paris, ce mois de mai-là — puisque je me souviens que je tremblais d'émotion à l'idée de la revoir.

Elle habitait un rez-de-chaussée, entre cour et jardin, toujours dans la famille qui l'hébergeait déjà trois ans auparavant, lorsque je l'avais connue, à la Sorbonne. Je n'ai d'ailleurs jamais su exactement quels étaient ses liens avec ladite — non dite, plutôt — famille, qui descendait en ligne patronymique directe d'un célèbre chirurgien royal du XVIIIe siècle, qui fut également l'un des fondateurs de l'école économique des physiocrates.

Jacqueline était-elle la dame de compagnie de la mère de famille ? (Nul père ne fut jamais perceptible à l'horizon.)

Ou la préceptrice de la plus jeune sœur ? Ou la compagne de l'un des frères ?

Quoi qu'il en fût, nous renouâmes nos longues conversations interminables autour d'un verre d'eau, d'un café crème, nous recommençâmes nos promenades dans Paris. Elle ne me posait aucune question sur mes deux années à Buchenwald : sans doute avait-elle deviné que je n'y répondrais pas.

Un jour de plein été, nous sortions d'un cinéma, place Saint-Sulpice. Il avait plu, l'averse avait rafraîchi l'atmosphère lourde, les dalles du trottoir étaient encore ruisselantes. Elle avait ri, avait enlevé ses chaussures plates, pour marcher pieds nus.

Je la regardais, immobile, foudroyé par le souvenir d'un récit de François L. L'avait-il, autrefois, vraiment tenue dans ses bras ?

Place Saint-Sulpice, pieds nus, vêtue d'une chemise d'homme de couleur et de facture militaires, aux manches retroussées, et d'une jupe de toile écrue, évasée, virevoltante, la taille serrée par une large ceinture de cuir, Jacqueline dressait son visage vers le ciel, quêtant l'eau vive d'une nouvelle averse.

Six mois auparavant, en décembre, le jour où les Américains ne cédaient pas un pouce de terrain aux soldats de von Rundstedt, à Bastogne, je guettais sur le visage émacié, presque translucide, de François L. le dernier mouvement, le dernier souffle. Le dernier mot, peut-être. Même le souvenir de Jacqueline B. n'aurait pu le réconforter, lui arracher le moindre sourire, le régaler du moindre espoir. Je guettais son visage, à quelques centimètres du mien. Je savais que son âme l'avait déjà quitté, qu'elle ne déposerait plus sur ses traits, en l'abandonnant une heure après sa mort, le voile impalpable de la sérénité, de la noblesse intérieure, du retour à soi.

Dans cette salle des pas perdus de la mort, les râles, les gémissements, les frêles cris d'effroi, s'étaient tus, s'étaient éteints, les uns après les autres. Il n'y avait plus que des cadavres autour de moi : de la viande pour crématoire.

Dans un soubresaut de tout son corps, François avait ouvert les yeux, il avait parlé.

C'était une langue étrangère, quelques mots brefs. C'est après seulement que j'ai compris qu'il avait parlé en latin : il avait dit deux fois le mot *nihil*, j'en étais certain.

Il avait parlé très vite, d'une voix très faible : à part ce « rien » ou ce « néant » répété, je n'avais pu saisir le sens de ses dernières paroles.

Aussitôt après, en effet, son corps s'était raidi définitivement.

Le mystère des derniers mots de François L. s'était perpétué. Ni dans Horace ni dans Virgile, dont je savais qu'il se récitait des poèmes, comme je me récitais moi-même Baudelaire ou Rimbaud, je n'avais jamais retrouvé un vers où le mot *nihil*, rien, néant, se répétât.

Des décennies plus tard, plus d'un demi-siècle après la nuit de décembre où François L. était mort à côté de moi, dans un dernier soubresaut, en proférant quelques mots que je n'avais pas compris, mais dont j'avais la certitude qu'ils étaient latins à cause de la répétition du mot *nihil*, je travaillais à une adaptation des *Troyennes* de Sénèque.

C'était une nouvelle version en espagnol que j'étais chargé d'écrire, pour le Centre andalou du Théâtre. Le metteur en scène qui m'avait proposé de participer à cette aventure était un Français, Daniel Benoin, directeur de la Comédie de Saint-Étienne.

Je travaillais simultanément sur le texte latin établi par Léon Herrmann pour la collection des Universités de France, plus connue sous le nom de collection Budé, et sur une traduction espagnole, assez littérale, assez dépourvue de souffle tragique également.

Un jour, après avoir mis au point ma version de la scène cruciale entre Pyrrhus, fils d'Achille, et Agamemnon, je m'attaquai à un long passage du chœur des Troyennes. Traduisant le texte latin que j'avais sous les yeux, je venais d'écrire en espagnol : *« Tras la muerte no hay nada y la muerte no es nada... »*

Soudain, sans doute parce que la répétition du mot *nada* avait confusément réveillé un souvenir enfoui, non identifié, mais chargé d'angoisse, je revins au texte latin : *« Post mortem nihil est ipsaque mors nihil... »*

Ainsi, plus d'un demi-siècle après la mort de François L., à Buchenwald, le hasard d'un travail littéraire me faisait retrouver ses derniers mots : « Il n'y a rien après la mort, la mort elle-même n'est rien. » Je n'eus aucun doute : c'étaient bien les derniers mots de François !

Mais en juillet 1945, l'été de mon retour, place Saint-Sulpice, je n'avais pas encore retrouvé l'origine de ses derniers mots.

Je regardais Jacqueline B., pieds nus sur l'asphalte mouillé, ses sandales à la main. Elle semblait attendre, visage dressé, l'eau du ciel, et la pluie se mettait à tomber de nouveau, à verse.

Elle vint se réfugier dans mes bras, sa chemise trempée souligna bientôt la forme de ses seins.

J'aurais dû lui murmurer à l'oreille le secret de mon désir. Lui dire combien j'avais pensé à elle, et comment, avec quelle violence. Son corps inconnu, deviné, entrevu parfois dans le laisser-aller fringant des fringues de l'été, le fantasme de son corps avait nourri mes rêves de Buchenwald.

Sous l'eau chaude de la douche — douche de privilégié, de *Prominent* : à l'*Arbeit*, on avait un choix de jours et d'heures beaucoup plus large que le commun des mortels, qui n'avaient aucun choix d'ailleurs ; douche obligatoire à heure fixe, hebdomadaire ; de surcroît, nous n'étions pas entassés dans la salle des douches comme le commun des mortels, ô combien !, nous n'étions souvent que quatre ou cinq dans la grande salle carrelée —, sous l'eau chaude de la douche, l'évocation de son corps pouvait encore, les bons jours, provoquer l'afflux généreux du sang, concrétisant le rêve.

Je n'ai rien dit, bien sûr, rien murmuré à son oreille. De mes bras qui l'enlaçaient, j'ai protégé son corps de l'averse. La pluie a cessé, mes bras se sont ouverts, elle s'est éloignée, ses seins étaient arrogants sous la chemise trempée.

Un an après, j'épousais une jeune femme qui lui ressemblait d'étrange façon. Ce fut un désastre, bien entendu.

Soudain, il y eut des coups sourds, insistants, au fond de mon sommeil. Un rêve s'était coagulé autour de ce bruit-là : on clouait un cercueil quelque part au fond de mon rêve. Quelque part sur la gauche, au loin, dans le territoire ombreux du sommeil.

Je savais que c'était un rêve, je savais quel cercueil on clouait dans ce rêve : celui de ma mère. Je savais qu'il y avait erreur, malentendu, confusion. Je savais que jamais ma mère n'avait été mise en bière dans un paysage semblable : un cimetière à l'orée de l'océan, sous le vol compassé des goélands. Je savais que c'était faux, même si j'étais certain, par ailleurs, que c'était bien ma mère qu'on portait en terre.

Je savais surtout que j'allais me réveiller, que les coups redoublés — un marteau, sur le bois du cercueil ? — allaient me réveiller d'un instant à l'autre.

L'angoisse de ce rêve était insupportable. Non pas parce qu'on clouait le cercueil de ma mère. Ce savoir-là, pour précis qu'il fût, n'évoquait pas, curieusement, des images de deuil. Bien au contraire. J'entendais le bruit du marteau sur le bois du cercueil de ma mère, mais les images qui se déployaient n'étaient pas funèbres. Non, l'angoisse ne pouvait provenir des images triomphales, ou tendres ou touchantes qui s'évoquaient. L'angoisse provenait d'un autre savoir.

J'avais la certitude d'avoir déjà fait ce rêve, de m'être déjà réveillé de ce rêve, voilà. J'avais une mémoire très précise, fulgurante, dans l'instantanéité du réveil, de ce qui s'était passé, après ce premier rêve, ce premier réveil : Kaminsky et Nieto, le mort qu'il faut, François L. dans la salle des sans-espoir.

C'était cette certitude qui était angoissante, l'idée que j'allais revivre ce que j'avais déjà vécu, ces quarante-huit dernières heures.

J'ai ouvert les yeux, à mon âme défendant.

Ce n'était pas Kaminsky qui était à côté de moi, c'était Ernst Busse, qui tapait de son poing fermé sur le montant de la litière.

L'angoisse a disparu, tout s'est remis en place : j'étais prêt.

— Tu t'en fais pas, toi ! T'arrives à dormir ?

Le ton de Busse était moitié bougon, moitié admiratif.

Je n'ai pas eu le temps de lui dire qu'en effet j'arrivais à dormir, en toute circonstance, même entre deux interrogatoires de la Gestapo.

— Tu dormais tellement, il y a cinq minutes, poursuivait Busse, sarcastique, que les *Leichenträger*, les porteurs de cadavres, ont failli t'embarquer au crématoire !

Il jette sur le châlit mes vêtements. Je me débarrasse de ma liquette, je m'habille en vitesse.

La salle du *Revier* où j'ai passé la nuit est vide désormais. On va pouvoir la remplir d'une nouvelle fournée de moribonds.

J'aurai vu mourir François, mais je n'aurai pas assisté à son départ pour le crématoire.

— Marrant, dit Busse, si tu t'étais réveillé à la dernière minute, sur le tas des cadavres à mettre au four !

Marrant, en effet.

Dans la nuit, juste après que François eut prononcé les quelques mots qui m'avaient semblé latins à cause du *nihil* répété deux fois, un infirmier s'était approché de mon châlit. Il tenait une seringue à la main. Il me parlait en russe à voix basse. J'ai compris qu'il voulait me faire une piqûre. Je me suis rappelé l'avertissement de Busse : une injection pour faire monter la fièvre, au cas où les SS auraient décidé de terminer leur fête par une virée au *Revier.*

Au moment où le jeune infirmier se penchait vers moi, cherchant ma veine pour y piquer l'aiguille, il m'a semblé le reconnaître. Il m'a semblé que c'était le Russe qui m'avait sauvé, lors de la corvée de carrière, neuf mois auparavant.

Mais je n'ai pas eu l'occasion de le vérifier : Ernst Busse arrivait, à la hâte. Il interrompait le geste du Russe.

— À la dernière minute, me chuchotait-il, ils ont changé d'idée. Ils vont finir leur nuit au bordel !

Il entraînait l'infirmier, me laissant de nouveau seul, allongé à côté de François L.

En tout cas, je ne m'étais pas réveillé sur le tas de cadavres, dans la cour du crématoire. C'est Busse qui m'avait tiré de ce rêve répété où l'on clouait le cercueil de ma mère.

Un autre bruit s'était superposé dans mon rêve à celui du marteau sur le bois du cercueil. Tout en suivant Busse, quittant derrière lui la salle des sans-espoir, j'avais identifié cet autre bruit.

Dans ma mémoire enfantine, le 14 avril 1931, jour où la république était proclamée en Espagne, où son frère cadet, Miguel Maura, quittait la prison de Madrid, la *Cárcel Modelo,* pour devenir le ministre de l'Intérieur du nouveau régime, ma mère installa sur les balcons de notre appartement, rue Alfonso-XI — où elle devait mourir, quelques mois plus tard — des oriflammes tricolores aux couleurs républicaines, rouge, or, violet.

À peine ces drapeaux avaient-ils commencé à ondoyer dans le vent du printemps, dans l'une des rues les plus calmes et cossues de ce quartier bourgeois, que tous les voisins claquèrent leurs volets pour ne pas avoir sous les yeux ce spectacle insoutenable.

Le bruit de ces volets de bois fermés à la volée se superpose à celui du marteau sur le cercueil, les bruits de la vie aux bruits de la mort.

Dans ma scène primitive — car c'en est une, lourdement — il n'y a donc pas de sexe. Il n'y a donc pas de père non plus. Il y a une mère, jeune et triomphante, belle, dressée dans un éclat de rire provocant. Il y a les oriflammes de la république.

Je suivais Busse, dans le dédale des couloirs du *Revier.*

Le circuit des haut-parleurs diffusait les rumeurs provenant de la place d'appel, ordres des sous-offs SS, brouhaha de la foule des déportés se regroupant dans les kommandos de travail, une fois disloquée la formation par blocks.

Sur cette rumeur profonde, vaste, houleuse, éclataient les flonflons de l'orchestre du camp jouant les marches entraînantes qui accompagnaient rituellement le départ matinal des kommandos.

C'était la musique officielle, celle de la *Lagerkapelle,* dont les musiciens étaient vêtus d'un uniforme de cirque, pantalons de cheval bouffants de couleur rouge, et vestes à brandebourgs vertes (ou vice versa : je ne ferai aucun effort pour vérifier ce détail) et se postaient sur la place d'appel, matin et soir, afin d'animer le départ au travail et le retour des kommandos.

La vraie musique, pourtant, de Buchenwald, n'était pas celle-là.

La vraie musique, pour moi du moins, c'était celle que diffusaient les sous-offs SS, parfois, sentimentale et nostalgique, sur le circuit des haut-parleurs. Musique et voix du dimanche, dont les chansons de Zarah Leander étaient le paradigme.

Et puis, surtout, la musique de jazz de l'orchestre clandestin de Jiri Zak.

Le dimanche précédent, sous l'habituelle bourrasque de neige de décembre, je marchais vers le *Kino.*

Jiri Zak, un copain tchèque de la *Schreibstube,* le Secrétariat, m'y avait donné rendez-vous. « Viens, m'avait-il dit pendant l'appel de midi. Viens au *Kino* tout à l'heure. J'ai découvert un nouveau trompettiste. Un étudiant norvégien, fameux, tu verras ! Je vais lui demander de jouer des morceaux d'Armstrong... Et puis, on sera tranquilles pour parler : j'ai un message pour toi de la part de Pepikou ! »

Pepikou est le diminutif affectueux de Josef. Et Josef, c'est Frank, Josef Frank. Il travaille comme moi à l'*Arbeitsstatistik.* Il pourrait donc me parler directement, à n'importe quel moment de la journée. Mais il préfère sans doute qu'on ne nous voie pas trop souvent ensemble, à conciliabuler.

Je lui ai demandé, en effet, de m'aider à monter une opération particulière, tellement confidentielle qu'il vaut mieux tenir à l'écart l'appareil clandestin lui-même.

Il s'agit de préparer une évasion pour le compte du PCF.

C'est Pierre D. qui a pris contact avec moi, de la part de Marcel Paul. Je n'en ai pas parlé à Seifert, trop lié par la bureaucratie pointilleuse de l'organisation communiste allemande. Seifert ne m'aurait pas cru sur parole. Non pas qu'il n'eût pas confiance en moi. Mais il était tenu, vu sa place dans la hiérarchie clandestine, d'en référer aux instances supérieures, lesquelles auraient fait une enquête auprès du PCF, de Marcel Paul.

Était-il vrai que ce dernier envisageait d'organiser son évasion ? M'a-t-il vraiment contacté à ce sujet ? Était-ce une décision correcte, de toute façon ? Pouvait-il la prendre sans consulter le comité international, vu les conséquences qu'un échec, toujours possible, entraînerait ?

Bref, une discussion se serait engagée, d'où parlotes et palabres. Trop de monde aurait fini par être au parfum d'un projet qui devait rester ultraconfidentiel, même pour les instances régulières de l'organisation communiste internationale de Buchenwald.

C'était une affaire où il valait mieux procéder selon des méthodes de travail FTP, aurait dit Daniel Anker. *A la guerrillera*, aurais-je dit en espagnol. Une affaire entre communistes, où le Parti, en tant qu'institution, ne pouvait que foutre la merde.

J'ai donc décidé de m'adresser à Josef Frank. Je savais qu'il me répondrait oui ou non sans consultation préalable, de son propre chef. Parce que c'était lui le chef ! Cela me convenait.

Frank avait des responsabilités importantes à l'*Arbeit*, aux côtés de Seifert. Il était chargé du recrutement des spécialistes, techniciens et ouvriers qualifiés, destinés aux diverses usines d'armement de Buchenwald, la Gustloff, la DAW, ainsi de suite.

C'était l'aspect, disons, officiel, de son travail dont il aurait eu à rendre compte, le cas échéant, au commandement SS. Derrière cette façade — l'utilisation révolutionnaire de toutes les possibilités légales d'activité est sans conteste l'une des pratiques politiques les plus universelles et percutantes du bolchevisme —, Frank était chargé par l'appareil clandestin de sélectionner, dans la mesure du possible, des militants chevronnés pour les postes de travail disponibles dans ce secteur.

La stratégie globale de l'organisation communiste clandestine visait, en effet, à investir le système productif de Buchenwald avec un double objectif : préserver un maximum de cadres ouvriers, de combattants antifascistes, en général, en les planquant aux meilleures places du dispositif de production ; et, deuxièmement, s'appuyer sur ceux-là mêmes pour organiser le ralentissement systématique, et, ponctuellement, le sabotage de la production d'armement.

Josef Frank, comme la plupart de ses compatriotes originaires du protectorat de Bohême-Moravie, faisait partie des *Prominenten*, de l'aristocratie rouge de Buchenwald. Mais c'était, à la différence de tant d'autres kapos communistes, un homme calme, attentif, courtois à l'occasion. Jamais de coup d'éclat arrogant ou coléreux ; jamais d'insultes ou de grossièretés dans son parler allemand soigné.

Certes, il ne se livrait pas facilement, ne se liait pas, gardant ses distances, préservant son quant-à-soi.

Je pouvais le comprendre.

La promiscuité, inévitable et permanente, était l'un des fléaux les plus funestes de la vie quotidienne à Buchenwald. Si l'on interrogeait aujourd'hui les survivants — rares, par bonheur ! Bientôt on aura atteint le point idéal auquel aspirent les spécialistes : il n'y aura plus de témoins, ou plutôt, il n'y aura plus que de « vrais témoins », c'est-à-dire des morts ; bientôt plus personne ne viendra emmerder les experts avec le dérangeant vécu, *Erlebnis, vivencia,* d'une mort dont on serait, plutôt que les survivants, les revenants —, si on interrogeait les survivants ou les revenants, ceux du moins qui seraient capables d'un regard lucide, non complaisant, dégagé des stéréotypes du témoignage larmoyant, pour véridique qu'il fût, il est probable que la faim, le froid, le manque de sommeil apparaîtraient en premier lieu dans un classement péremptoire et viscéral des souffrances.

Il me semble cependant que ces mêmes survivants, si on attirait leur attention et ravivait leur mémoire à ce sujet, reconnaîtraient bien vite les ravages que provoquait l'inévitable promiscuité.

Celle-ci constituait une atteinte plus insidieuse, moins brutale, sans doute, moins spectaculaire que les bastonnades perpétuelles, plus déconcertante aussi, à cause de ses aspects souvent grotesques, parfois même hilarants, à l'intégrité de la personne, de l'intime identité de chacun.

Je ne sais si on peut mesurer objectivement une semblable donnée. Mesurer les conséquences du fait que pas un seul acte de la vie privée ne pouvait être accompli autrement que sous le regard des autres. Il n'importait que ce regard fût, à l'occasion, fraternel ou apitoyé, c'est le regard en lui-même qui était insupportable. Il n'y a rien de pire que la transparence absolue de la vie privée, où chacun devient le *big brother* de l'autre.

S'endormir dans le halètement collectif, les miasmes communs du mauvais sommeil, les ronflements et les gémissements, la rumeur immonde des viscères ; déféquer sous l'œil de dizaines de types accroupis comme vous dans les latrines collectives, dans la déliquescence puante, bruyante, des entrailles douloureuses : pas un seul instant d'intimité arraché à l'exhibition, à l'infernale présence du regard d'autrui.

À Buchenwald, si l'on faisait partie de la plèbe pour ce qui est de la vie quotidienne — tel était mon cas —, il n'y avait que deux façons de détourner ou d'atténuer provisoirement l'agressivité, involontaire, sans doute, mais inévitable, dudit regard.

La première consistait à s'évader dans la béatitude fugace d'une promenade solitaire.

C'était possible à certaines époques de l'année (après l'hiver et les bourrasques glaciales de neige et de pluie) et à certaines heures de la journée. Lors de la pause de midi, par exemple. Ou après l'appel du soir, entre cet appel et le couvre-feu. Et le dimanche après-midi, bien sûr.

Il y avait des itinéraires à préférer. Ainsi, le petit bois autour des baraquements du *Revier*. Ou la vaste esplanade entre les cuisines et l'*Effektenkammer*, qui offrait en prime la possibilité de contempler l'arbre de Goethe, le chêne sous lequel la légende concentrationnaire prétendait qu'il avait aimé à se prélasser avec cet idiot d'Eckermann et que les SS avaient préservé pour afficher leur respect de la culture allemande !

Pour ces promenades, il fallait surtout éviter les endroits, pour vastes et agréables qu'ils fussent, trop directement exposés au regard des sentinelles SS postées dans les miradors qui jalonnaient le pourtour de l'enceinte électrifiée. Il fallait aussi fuir l'allée, pourtant bien abritée du regard nazi, qui longeait le crématoire : en ce lieu, il était quasiment inévitable d'être distrait du bonheur éphémère de la solitude, du retour sur soi-même, par l'arrivée d'une charrette transportant vers les fours un lot de cadavres du jour.

Non pas qu'une telle rencontre eût de quoi surprendre : nous étions habitués à la présence des cadavres, à l'odeur du crématoire. La mort n'avait pour nous plus de secret, plus de mystère. Pas d'autre secret, du moins, pas d'autre mystère que celui, banal, de tout temps reconnu, insondable pourtant, du trépas lui-même : passage invivable, à tous les sens du terme.

Mais il était vraiment inutile de se faire rappeler cette omniprésence de la mort. Il valait mieux se promener ailleurs.

Outre la promenade, il n'y avait qu'un autre moyen de tromper l'angoisse gluante de la promiscuité perpétuelle : c'était la récitation poétique, à voix basse ou à haute voix.

Ce moyen-là avait sur la promenade hygiénique un avantage considérable, même s'il était, bien évidemment, moins salutaire pour le corps en déréliction : c'était de pouvoir se pratiquer à tout moment, quel que fût le temps, l'endroit, l'heure de la journée.

Il y suffisait d'un peu de mémoire.

Ainsi, même assis sur la poutre des latrines du Petit Camp ; ou éveillé dans le brouhaha gémissant du dortoir ; ou aligné au cordeau sur la rangée de détenus devant un sous-off SS faisant l'appel ; ou attendant que le service des chambrées découpât au fil d'acier le dérisoire morceau de margarine quotidien ; dans n'importe quelle circonstance on pouvait s'abstraire de l'immédiateté hostile du monde pour s'isoler dans la musique d'un poème.

Aux chiottes, quelle que fût la pestilence et le bruyant soulagement des viscères autour de vous, rien ne vous interdisait de murmurer la consolante mélodie de quelques vers de Paul Valéry.

« *Calme, calme, reste calme/connais le poids d'une palme/portant sa profusion...* » Ou bien : « *Présence pure, ombre divine,/qu'ils sont doux tes pas retenus./Tous les dons que je devine/viennent à moi sur ces pieds nus...* »

Je ne sais quelle était la méthode de Josef Frank pour combattre les effets nocifs de la promiscuité, avec son cortège d'indécence, de vulgarité, de complaisance dans l'avilissement. Il avait su garder ses distances, préserver son quant-à-soi, sans pour autant tomber dans la violence arrogante de tant d'autres kapos et *Prominenten*.

C'est à lui, en tout cas, que j'avais demandé de nous aider à organiser l'évasion de Marcel Paul. Il avait accepté. « Mais c'est une histoire entre nous », m'avait-il dit.

Entre nous, d'accord, ça m'arrangeait. J'aimais bien le travail guérillero.

— J'ai quelque chose pour toi de la part de Pepikou !

Jiri Zak était venu me trouver pendant l'appel, le dimanche précédent.

Il n'y avait que le couloir à parcourir, dans le même baraquement, pour venir de la *Schreibstube*, où il travaillait, à l'*Arbeitsstatistik*. Au Secrétariat, Zak était l'adjoint du kapo, un communiste allemand. Mais celui-ci étant souvent absent pour cause de maladie, c'est Zak qui assumait pratiquement la direction du service.

C'était un jeune Tchèque de haute taille, qui se tenait légèrement voûté. Derrière des lunettes d'acier, un regard exceptionnellement attentif et intelligent. De ce point de vue-là, ils se ressemblaient beaucoup, les Tchèques de Buchenwald. Du moins ceux que j'ai fréquentés à des postes de responsabilité. Calmes, attentifs, toujours d'humeur égale. Cultivés, de surcroît, s'intéressant au monde, aux événements à déchiffrer. S'intéressant aux autres, ce qui était encore plus rare.

La passion privée de Jiri Zak, c'était la musique de jazz.

Il avait réussi à rassembler un petit groupe de musiciens de diverses nationalités. Les instruments de l'orchestre avaient été récupérés dans les trésors de l'*Effektenkammer*, le magasin général où s'accumulait depuis des années le contenu des bagages des déportés en provenance de l'Europe tout entière.

De toute l'Europe, certes, sauf de la Grande-Bretagne, protégée par son insularité et son courage des malheurs de l'occupation. Sauf de la Russie soviétique, pour des raisons bien différentes : il était inconcevable qu'un déporté russe eût un bagage quelconque à transporter ! Le seul bagage des jeunes Russes déportés était une vitalité inouïe, une sauvagerie parfois positive : rébellion à l'état pur contre l'absurde ignominie du cours des choses ; parfois maléfique, mafieuse.

L'ensemble de jazz créé par Jiri Zak, ses séances de musique publiques, ou bien, le plus souvent, entre nous, dans des espèces de jam-sessions, le dimanche après-midi principalement, étaient l'une des plus belles choses, les plus étonnantes et riches, qu'il m'aura été donné de connaître.

Musique doublement clandestine, d'ailleurs.

Autant les sous-officiers SS qui étaient en contact direct avec la population déportée fermaient les yeux ou toléraient les activités culturelles que les diverses nationalités parvenaient à organiser le dimanche après-midi, autant ils seraient brutalement intervenus contre les séances de jazz, cette musique de Nègres !

De leur côté, les vétérans communistes allemands n'avaient aucun goût pour cette musique, décadente, affirmaient-ils, typique de cette époque de décomposition du capitalisme. Ils auraient probablement décidé de l'interdire, s'ils avaient vraiment été au courant. Mais Jiri Zak, soucieux d'éviter des heurts et des discussions compliquées, s'arrangeait pour que les séances de jazz eussent lieu en marge du circuit légal — si l'on peut dire ! — des activités culturelles.

Ce n'était pas la trompette de Louis Armstrong, certes, mais ce n'était pas mal. Pas mal du tout, franchement.

Lorsque je suis entré dans la salle du *Kino*, le dimanche après-midi, huit jours avant celui dont il est question dans ce récit, l'étudiant norvégien venait d'attaquer le premier solo de *In the Shade of the Old Apple Tree.* Autour de lui, ça jubilait. Markovitch s'empara de son saxo, le batteur se déchaîna. Ils y allaient tous à leur tour, pris dans le rythme et la contrainte de la structure thématique, s'en libérant aussitôt dans une improvisation accordée, rompant sans cesse ces accords provisoires.

Jiri Zak était aux anges, ses yeux brillaient derrière les verres de ses lunettes d'acier.

J'entrai dans cette jubilation, ce sentiment d'extrême liberté que m'a toujours donné, me donne encore, la musique de jazz.

Mais Zak m'a vu, il s'écarta des musiciens, vint vers moi.

Quand je pense à lui, essayant d'évoquer son image, de cerner les traits de son visage, de faire surgir sa silhouette, son regard, sa démarche, des oubliettes du temps, c'est toujours ce moment-là qui réapparaît : la grande halle du *Kino*, vide et sonore ; le petit groupe de déportés dans un coin, en demi-cercle autour du jeune trompettiste norvégien — il y avait à Buchenwald un block d'étudiants qui avaient été raflés en Norvège, je ne sais plus pourquoi, et qui n'étaient pas soumis au régime général : ils étaient isolés des autres déportés et ne travaillaient pas —, reprenant en chœur les thèmes musicaux ; et Jiri Zak, très grand, les épaules voûtées, marchant vers moi.

Je l'ai pourtant vu souvent, à Buchenwald, après ce dimanche.

Je l'ai revu beaucoup plus tard, au printemps 1969. J'étais allé à Prague avec Costa-Gavras, qui essayait encore de tourner *L'aveu* en Tchécoslovaquie. On avait des réunions, ça se discutait : il devenait clair que ce tournage allait être impossible là-bas. La normalisation était en cours, le rétablissement de l'ordre, après l'invasion du pays par les troupes soviétiques.

J'avais demandé à des cinéastes amis, qui ne s'étaient pas encore résignés à l'exil, de rechercher pour moi la trace de Jiri Zak. Ils l'avaient retrouvé. Un jour, en rentrant à l'hôtel, je trouvai un message : Zak m'attendrait à telle heure, à tel endroit. Ce fut dans un appartement dont les fenêtres s'ouvraient sur la place Wenceslas. Zak avait les cheveux gris mais son regard n'avait pas changé, sa démarche non plus. Une femme âgée, petite, visage de pomme ridée, l'accompagnait. C'était la veuve de Josef Frank, notre copain de Buchenwald, Pepikou. Celui-ci était devenu secrétaire général adjoint du PC de Tchécoslovaquie, à son retour de déportation. Il avait été pris dans le moulin des procès staliniens des années cinquante. Accusé de s'être mis au service de la Gestapo à Buchenwald, il avait « avoué » après quelles tortures ? Il avait été pendu, avec Slansky, Geminder, une dizaine d'autres accusés. Leurs cendres avaient été éparpillées sur une route enneigée, déserte : nulle trace ne devait demeurer de leur existence, nulle dépouille à honorer, nul lieu de souvenir, nulle possibilité de travail de deuil.

Ce jour-là, à Prague, au printemps de 1969, je lui avais rappelé la répétition de son ensemble de jazz, au *Kino* de Buchenwald, un dimanche de décembre 1944. Il se souvenait du jeune trompettiste norvégien. Mais il avait oublié sur quel thème d'Armstrong il lui avait demandé de montrer ses talents. *In the Shade of the Old Apple Tree* ? Non, il ne se souvenait pas. Sans doute ce thème musical n'était-il pas au centre de sa mémoire, au cœur même de sa vie.

C'était mon cas, en revanche.

À Prague, ce jour-là, en 1969, j'aurais pu raconter ma vie à Jiri Zak autour et à propos de ce morceau de Louis Armstrong.

L'été de mes dix-neuf ans, en 1943, j'avais commencé à participer à des missions clandestines pour le réseau de Frager, Jean-Marie Action. Je n'étais pas encore installé à Joigny, en tant que permanent du réseau. Je revenais à Paris, après avoir passé quelques jours dans l'Yonne ou la Côte-d'Or à organiser la réception et la distribution des armes parachutées par les services britanniques ; à mettre en œuvre le plan de sabotage des voies de communication, chemins de fer, écluses du canal de Bourgogne.

Il m'arrivait de revenir à Paris un jour de surprise-partie chez des amis. Je planquais mes faux papiers au nom de Gérard Sorel, jardinier, né à Villeneuve-sur-Yonne (dans mes sacoches de cycliste, sur les routes régionales des environs de Joigny, je transportais les outils de mon métier), je reprenais mes vrais papiers de résident espagnol, étudiant à la Sorbonne, et je me présentais à la fête. S'ils me voyaient entrer, mes amis les plus proches, garçons ou filles, arrêtaient la musique en cours, surprenant ainsi les couples enlacés, et mettaient sur le tourne-disque le morceau d'Armstrong *In the Shade of the Old Apple Tree.* C'était comme un salut, un geste d'amitié codé, un clin d'œil complice.

À Madrid, plus tard, dans la clandestinité antifranquiste, ce morceau de Louis Armstrong a également été mêlé à des épisodes significatifs.

Mais je n'ai pas raconté ma vie à Jiri Zak, à Prague, en 1969, alors que se déployait la nouvelle glaciation de la société tchèque, après l'invasion par les troupes soviétiques. Aucune raison, donc, pour que je la raconte ici, que je dise tout ce que remue dans ma mémoire, dans mon âme — si tant est que l'on puisse différencier l'une de l'autre —, l'évocation de Louis Armstrong.

En tout cas, au *Kino*, Jiri Zak était venu vers moi, après les variations, les improvisations de ses musiciens sur le thème de l'*Old Apple Tree.* Il avait un message pour moi, de la part de Frank.

Quelques semaines plus tard, me faisait-il dire, le commandement SS allait créer un nouveau kommando. Il s'agirait d'une équipe de travail mobile, se déplaçant en train et destinée à la réparation des voies ferrées bombardées par les Alliés.

Par sa mobilité, par les circonstances mêmes d'un travail qui se déroulerait en plein air, dans un espace ouvert, plus difficile à surveiller, impossible à clôturer vraiment, il semblait que ce kommando se prêterait mieux que tout autre à un projet sérieux d'évasion.

Si le PCF agréait cette proposition, il fallait prendre des mesures immédiates, afin que Marcel Paul et les camarades de son groupe puissent être inclus dans la liste des déportés que Frank était chargé de sélectionner.

Bien, je transmettrais le message, et la réponse qui y serait donnée.

L'étudiant norvégien attaquait un autre solo de trompette. Il était doué, vraiment.

De toutes les images possibles de Jiri Zak, jeune communiste tchèque à Buchenwald, mort en exil à Hambourg, le rétablissement de l'ordre stalinien l'ayant obligé à quitter Prague peu après notre dernière entrevue, de toutes les images possibles ma mémoire évoque toujours spontanément celle de ce dimanche de décembre dans le *Kino* du camp, le jour où nous écoutions le nouveau trompettiste norvégien se risquant aux solos d'Armstrong.

Mais on n'entend pas *In the Shade of the Old Apple Tree*, pendant que je déambule dans les couloirs du *Revier*, derrière Ernst Busse, le kapo. Même pas *On the Sunny Side of the Street.* Ce n'est pas non plus la voix de Zarah Leander, dans *Der Wind hat mir ein Lied erzählt*... Ce qu'on entend, c'est la rumeur sourde de la place d'appel, les flonflons de l'orchestre du camp, les commandements criards des sous-offs SS.

— Tu connais l'ambassadeur de Franco à Paris ? me demande Walter Bartel, sèchement.

La question me prend au dépourvu, me laisse bouche bée, bien entendu. Mais une sorte de déclic se produit en même temps dans mon cerveau : je crois deviner à quoi elle rime, cette question absurde.

Ernst Busse m'a fait entrer dans son bureau du *Revier*. Bartel était déjà là, assis derrière une table. Busse l'a rejoint. Une troisième chaise était prévue, pour compléter la *troïka* traditionnelle, sans doute, la sainte trinité kominternienne. Mais elle est restée vide.

Un tribunal. Cette idée m'est venue tout naturellement à l'esprit, surtout quand Bartel m'a fait signe de m'asseoir en face d'eux, sur un tabouret.

C'est alors seulement que j'ai remarqué la présence dans la pièce de Kaminsky et de Nieto.

Kaminsky affichait un air désinvolte, comme s'il se trouvait là par hasard. Il aurait aussi bien lu le journal, si un exemplaire du *Völkischer Beobachter* avait traîné quelque part, pour bien montrer son désintérêt. Jaime Nieto, quant à lui, principal responsable de l'organisation clandestine du Parti espagnol à Buchenwald, n'avait pas l'air content. Je ne pouvais pas deviner s'il n'était pas content d'être ostensiblement relégué au second plan, assis à l'écart de Bartel et de Busse, ou pas content d'être là, tout simplement. Quoi qu'il en fût, il était maussade : visage fermé, lueur de mécontentement, peut-être même de colère, dans son regard.

C'est donc Walter Bartel qui a commencé l'interrogatoire. C'était logique, c'était lui le chef.

Bartel : il me faut en dire deux mots.

Il m'arrive d'inventer des personnages. Ou quand ils sont réels, de leur donner dans mes récits des noms fictifs. Les raisons en sont diverses, mais tiennent toujours à des nécessités d'ordre narratif, au rapport à établir entre le vrai et le vraisemblable.

Ainsi, Kaminsky est un nom fictif. Le personnage est en partie réel, pourtant. Pour l'essentiel, probablement. Allemand originaire de Silésie, portant un nom slave (j'ai changé le sien pour Kaminsky à cause du *Sang noir* de Guilloux), ancien des Brigades internationales, interné au camp de Gurs en 1940 et livré à l'Allemagne nazie par les autorités de Vichy : tout cela est vrai. Mais à cette vérité j'ai ajouté des éléments biographiques ou psychologiques venus d'ailleurs, pris chez d'autres déportés allemands que j'ai connus.

Il ne m'a pas semblé décent de lui garder son vrai nom, alors que je lui prêtais des paroles qu'il ne m'avait jamais dites, que je lui faisais assumer des opinions qu'il ne m'avait jamais exprimées. C'est la moindre des choses que de préserver sa liberté, sa possibilité de distanciation, de rejet même, s'il est encore vivant.

Dans ce cas, le nom fictif de Kaminsky, en quelque sorte, le protégera, s'il ne se reconnaît pas dans ce portrait, s'il refuse de s'y reconnaître.

Le cas de Walter Bartel et celui d'Ernst Busse sont tout différents.

Il faut impérativement que je leur garde leur vrai nom, leur prénom réel. Quel que soit leur statut narratif, c'est leur vérité historique qui m'intéresse. Car Bartel et Busse sont des personnages historiques. Les chercheurs, les spécialistes de l'histoire des camps nazis, en général, du camp de Buchenwald, en particulier, sont déjà tombés ou vont un jour ou l'autre tomber sur leurs noms. Des documents d'archives qui les mentionnent ont déjà été publiés, d'autres le seront plus tard, sans doute. Les chercheurs auront à évaluer le rôle qu'ils ont joué dans l'histoire de Buchenwald et dans celle du régime communiste de l'Allemagne de l'Est.

Même si la scène que j'évoque était rapportée avec l'exactitude que je m'efforce de reproduire, sa vérité profonde serait détruite, ou corrompue, si je donnais à Bartel et à Busse un nom fictif par inadvertance ou par légèreté. Ou par crainte d'assumer la responsabilité de les inclure sous leur vrai nom dans un épisode dont je ne pourrais fournir la preuve, tous les témoins en étant morts.

Sauf moi, bien sûr. À la minute où j'écris, du moins, je suis encore vivant, cinquante-six ans après l'événement, quasiment jour pour jour.

En tout cas, c'était la première fois que Bartel parlait avec moi.

Je le connaissais de vue, certes. Il venait parfois s'entretenir avec Seifert, en tête à tête, dans le cagibi privé de ce dernier à l'*Arbeit.* C'était un homme de petite taille, d'une quarantaine d'années, blond, au visage poupin, mobile, d'une évidente vitalité. Il ne portait aucun de ces brassards qui distinguaient les fonctionnaires d'autorité de l'administration interne du camp. Ni kapo, ni *Vorarbeiter*, ni

Lagerschutz, rien de semblable. Sans doute était-il formellement affecté à quelque kommando de maintenance générale, ce qui lui permettait de circuler sans encombre dans l'enceinte de Buchenwald.

Même sans signe extérieur d'autorité, la sienne était perceptible.

C'est lui qui a commencé l'interrogatoire, puisqu'il va s'agir d'un interrogatoire, apparemment.

— Tu connais l'ambassadeur de Franco à Paris ? me demande-t-il à brûle-pourpoint.

— Je ne le connais pas, lui dis-je, après avoir encaissé le choc de la surprise. Mais je sais qui c'est !

— Quelle différence ? aboie-t-il en haussant les épaules.

— Énorme, je précise. Aucun de vous ne connaît von Ribbentrop, sûrement pas… Mais vous savez tous qui c'est !

Le regard de Walter Bartel s'obscurcit. Il n'aime pas ce genre.

Du coin de l'œil, j'observe les autres. Nieto hoche la tête, approbateur. Kaminsky s'efforce de paraître indifférent. Mais son regard, quand il croise le mien, est amical. Quant à Ernst Busse, il est massivement installé dans un ailleurs obtus.

— Von Ribbentrop, justement, von Ribbentrop ! s'écrie Bartel.

Mais cette exclamation n'a pas de suite. Il revient à son propos.

— Ainsi, tu connais l'ambassadeur de Franco à Paris !

— Je sais qui c'est, c'est tout ! José Félix de Lequerica. Basque, catholique, franquiste. Mon père est catholique aussi, mais antifranquiste, libéral de gauche, diplomate de la République. José Maria de Semprun Gurrea ! Avant la guerre civile, les deux familles se connaissaient probablement. Savaient du moins, l'une et l'autre, à qui elles avaient à faire. À l'occasion, elles auraient pu se fréquenter, ce n'est pas impossible...

Bartel ne voit dans ma réponse que la confirmation de son idée.

— Donc, tu connaissais la famille de l'ambassadeur de Franco ?

J'ai le vague souvenir d'avoir haussé les épaules, excédé.

— Pas moi, mon père ! Ce n'est qu'une possibilité... Et c'était avant la guerre civile !

— Pas ton père, toi ! s'exclame Bartel. C'est de toi qu'il demande des nouvelles, l'ambassadeur de Franco à Paris !

C'est donc bien ce que je pensais, ce que j'avais commencé à deviner. La note de Berlin me concernant, qu'ils ont pu lire en entier ce matin, avant qu'elle ne soit remise à la Gestapo de Buchenwald, est une demande d'information à mon sujet qui provient de Paris, de l'ambassadeur de Franco à Paris, José Félix de Lequerica.

J'imagine très bien comment ça s'est passé.

Inquiet de ne plus avoir de lettres de moi (toute correspondance avec les familles, autorisée une fois par mois, exclusivement en allemand et dans un format déterminé, avait été interrompue par la libération de la France, après le mois d'août 1944), mon père avait dû chercher à joindre, de façon directe ou détournée, une ancienne connaissance, cet ambassadeur, José Félix de Lequerica. Et celui-ci, le cours de la guerre tournant définitivement à l'avantage des Alliés, n'avait pas trouvé inutile ni inconvenant d'accéder à cette requête, demandant de mes nouvelles par la voie diplomatique.

— Donc, dit Bartel d'une voix douce, ça ne t'étonne pas que l'ambassadeur de Franco à Paris demande de tes nouvelles ?

Il n'en démordra pas, je me dis.

— Ça ne m'étonne pas que ma famille ait essayé d'avoir de mes nouvelles !

Mais Walter Bartel ne dévie pas de son propos.

— Qu'un ambassadeur fasciste s'inquiète de la santé d'un militant communiste, ça ne t'étonne pas ?

— Si c'est mon père qui lui a demandé d'intercéder, il n'a sûrement pas dit à l'ambassadeur que j'étais communiste... Il a dû parler de la Résistance en général. Et puis, mon réseau n'est même pas gaulliste, il dépend des services britanniques...

J'ai eu tort de lui dire ça, je m'en mords aussitôt les lèvres. Involontairement, j'ai ouvert un nouveau front d'inquiétude, de suspicion.

Je le vois à son excitation subite.

— Britannique ? Tu étais l'agent d'un service britannique ?

Mais Jaime Nieto intervient aussitôt, vigoureusement, avec précision. Kaminsky corrobore ses dires. Ils demandent qu'on ne perde pas de temps avec ça. Toutes ces questions ont été abordées avec moi, quand j'ai été recadré à Buchenwald. Tout a été passé au crible, vérifié : mes rapports avec le PCE clandestin, à Paris ; le contrôle de la MOI sur mon activité, ainsi de suite.

Walter Bartel reste sur sa faim. Il aurait visiblement bien aimé aller plus au fond sur ce sujet.

— Il reste établi que ton père est en relation avec un diplomate fasciste à Paris !

Je hoche la tête : en effet, ce point semble établi. Mon père, ou quelqu'un en son nom, a pris contact avec José Félix de Lequerica, pour lui demander d'intercéder, d'essayer d'obtenir de mes nouvelles. Je n'ai plus envie de discuter avec Bartel. Je me rappelle le logement plus que modeste, à peine vivable, quasiment insalubre, que mon père occupe à Saint-Prix, « sur la colline qui joint Montlignon à Saint-Leu ». Je me rappelle que ce grand bourgeois survit chichement en donnant des leçons dans un collège religieux des environs. Je me rappelle le petit fanion tricolore de la République espagnole accroché au mur de sa chambre.

Finalement, après une nouvelle intervention de Jaime Nieto, Bartel admet que je ne suis pas responsable de l'intervention probable de mon père auprès de José Félix de Lequerica.

L'interrogatoire est abandonné. On me renvoie à la vie du camp.

Walter Bartel a un dernier commentaire acide.

— Dire qu'on a pris des risques pour te protéger ! On avait même trouvé le mort qu'il fallait… Et tout ça pour rien ! À cause d'une demande de l'ambassadeur de Franco à Paris adressée à von Ribbentrop !

Là, bien sûr, j'ai beau jeu.

Je lui rappelle que c'est le Parti allemand qui a insisté pour me mettre au frigo, dès dimanche, au *Revier*. Si on m'avait écouté, si on avait attendu de connaître aujourd'hui, lundi, le contenu complet de la note de Berlin, il n'y aurait pas eu de problème. J'avais bien dit que ça ne pouvait pas être grave !

Il n'y a rien à rétorquer, la séance est levée.

ÉPILOGUE

Finalement, nous avions passé la soirée ensemble, Jiri Zak et moi. La veuve de Josef Frank nous avait quittés. Nous avions attendu qu'elle s'éloigne vers un arrêt de tram, place Wenceslas, petite, menue, grisonnante, ombre parmi les ombres.

C'était le printemps, Prague était belle.

Prague est toujours belle, tout le temps, c'est entendu. Mais sa beauté de printemps est particulière. Malgré l'invasion, la mise au pas graduelle, systématique, un air de liberté circulait encore dans les rues, les jardins fleuris.

Sur les visages, encore. Sur les visages des femmes, surtout.

Un air de liberté, de défi : le dernier souffle, peut-être.

J'étais passé à notre hôtel pour laisser un message à Costa-Gavras et Bertrand Javal, le producteur de *L'aveu* : je les retrouverais le lendemain matin. On devait avoir une réunion, décisive, avec le directeur des studios de Barandov.

Ensuite, nous avions marché dans les rues, longuement, Zak et moi.

Nous nous étions arrêtés, plus tard, pour boire une bière et manger des saucisses grillées, en plein air, sur le bord du fleuve.

Non, Zak ne se souvenait pas de Louis Armstrong. Je veux dire, il ne se rappelait plus que c'était un morceau d'Armstrong qu'avait joué l'étudiant norvégien, ce dimanche-là, lointain.

In the Shade of the Old Apple Tree.

Ce rappel du *Kino* de Buchenwald, de la trompette d'Armstrong, ça lui avait donné des idées. Il m'avait invité dans une boîte de la vieille ville où l'on jouait du bon jazz. Le soir était tombé, nous avions bu des Pilsen, des alcools de prune. Zak se refusait à boire de la vodka.

Plus tard, les musiciens étaient arrivés, ils étaient venus saluer Jiri Zak. Je m'étais demandé s'ils connaissaient l'existence de l'orchestre de Buchenwald. Sans doute pas, Zak était plutôt du genre réservé. En tout cas, ils avaient commencé à jouer. Chacun pour soi, d'abord : ça chauffait lentement.

Aux premiers accords un peu concertés, Zak m'avait rappelé l'histoire de ma nuit au *Revier*, en décembre 1944.

Le lundi soir, en effet, quand je reprends ma place à l'*Arbeitsstatistik*, devant le fichier central, Zak arrive de la *Schreibstube*, au bout du couloir de la baraque.

Il a une feuille de papier à la main.

— J'ai rendez-vous demain avec le lieutenant SS de la *Politische Abteilung*, me dit-il. À propos de toi !

— Je sais pourquoi !

Il est surpris, je lui raconte ma petite histoire : la note de Berlin, la décision du Parti, contre mon avis, la nuit avec François L. Je lui parle assez longuement de François. Que ça finisse avec les soupçons de Bartel, ça le fait sourire.

— Pourtant, ce n'est pas un idiot, loin de là ! s'écrie Zak. Remarque : on peut s'étonner de voir un ambassadeur espagnol s'inquiéter de toi !

— Il ne s'inquiète pas, je lui rétorque. Il rend un service personnel à quelqu'un du bord opposé ! Mais le bord opposé est en train de gagner la guerre…

En somme, je lui explique les circonstances concrètes.

Zak m'interrompt :

— Laisse tomber. Je n'ai pas de problème, moi ! Je comprends fort bien les circonstances concrètes !

Vingt-cinq ans plus tard, à Prague, un quart de siècle plus tard, ce n'est pas ça qui nous intéressera encore.

— Tu sais ce qu'ils sont devenus, Ernst Busse, Walter Bartel ?

Il m'avait regardé, était devenu sombre, avait soudain perdu la voix.

Le temps avait passé, le silence s'était épaissi. Le silence entre nous deux, je veux dire, car la *kavarna* était désormais pleine de monde, de fumée, de musique.

— Tu ne sais pas ? m'avait-il demandé finalement.

Longtemps après.

Non, je ne savais pas : pourquoi aurais-je su ?

Au début des années cinquante, Ernst Busse et Walter Bartel ont été pris dans la spirale mortifère des derniers procès staliniens. À la suite de la condamnation à mort de Josef Frank à Prague, des enquêtes ont été rouvertes sur l'attitude politique des responsables communistes à Buchenwald. Pour les conseillers soviétiques, en effet, qui instruisaient ces procès dans les « pays frères », les survivants des camps étaient présumés coupables. Le chef d'accusation officiel était : collaboration avec l'ennemi. Ainsi, Josef Frank a été forcé d'avouer qu'il avait collaboré avec la Gestapo à Buchenwald. Le vrai crime, cependant, de tous ces hommes, c'était d'avoir vécu, lutté, pris des risques et des initiatives de façon autonome, loin de l'ombre tutélaire de Moscou, dans les résistances européennes, depuis la guerre d'Espagne.

Ernst Busse n'a pas eu de chance. Ce sont les autorités d'occupation soviétiques qui ont instruit son procès. Il a avoué des crimes de guerre contre les déportés russes, qu'il aurait commis en utilisant son poste de kapo du *Revier*. Il a été condamné, déporté dans un camp du Goulag. Il est mort à Vorkuta en 1952.

Walter Bartel s'en est mieux sorti. D'abord parce que ce ne sont pas les Soviétiques qui ont instruit son procès, mais les instances de sécurité de la République allemande. Mais surtout parce que Bartel s'est farouchement refusé à collaborer avec les procureurs, les inquisiteurs de son Parti. Il a défendu pied à pied ses positions politiques, admettant avoir commis des erreurs, le cas échéant, mais n'avouant aucun des crimes qu'on lui imputait.

— Maintenant, m'avait dit Jiri Zak pour conclure, cette nuit-là, à Prague, au printemps 1969, maintenant, il est professeur d'histoire contemporaine à l'Université Humboldt !

Alors, dans le brouhaha de la boîte de jazz, dans la fumée des cigarettes, nous avions levé nos verres et trinqué à la santé de Walter Bartel.

— *Rotfront !* s'était écrié Jiri Zak.

Et je lui avais répondu :

— *Rotfront !*

Front rouge ! C'était le salut des communistes allemands, autrefois, à l'époque sectaire et exaltante, misérable et glorieuse, de la lutte finale et du mot d'ordre apocalyptique : classe contre classe !

À une table voisine, une très jeune femme, très blonde et très belle, nous avait jeté des regards indignés. Elle avait interpellé Jiri Zak. Celui-ci lui avait répondu, de sa voix calme et lente, posée, pédagogique, sa voix de militant, de survivant de Buchenwald. Il avait dû lui expliquer les raisons, ironiques et émues, de notre « front rouge ».

Alors, elle avait levé son verre et trinqué avec nous. Très belle, vraiment.

Beaucoup plus tard, alors que nous commencions à devenir pâteux — mais la musique était à chaque instant meilleure, plus maîtrisée et plus sauvage à la fois —, Jiri Zak s'était penché vers moi, compagnon de mémoire et de beuverie.

— Toi qui écris, tu devrais donner une suite au *Grand voyage*...

Il avait dit *Grosse Reise*, bien sûr : nous parlions en allemand. Il avait lu mon livre en allemand.

— Tu devrais raconter la nuit au *Revier*, à côté de ton Musulman. Tout ce qui va avec... Y compris Busse et Bartel !

Peut-être avais-je trop bu, mais il m'avait semblé que c'était une idée.

Cet ouvrage a été compose
par Nord Compo
et achevé d'imprimer par la
Société Nouvelle Firmin-Didot
à Mesnil-sur-l'Estrée, le 5 mars 2001.
Dépôt légal : mars 2001.
N° d'imprimeur : 54849.

ISBN 2-07-075975-X/Imprimé en France.